JN048766

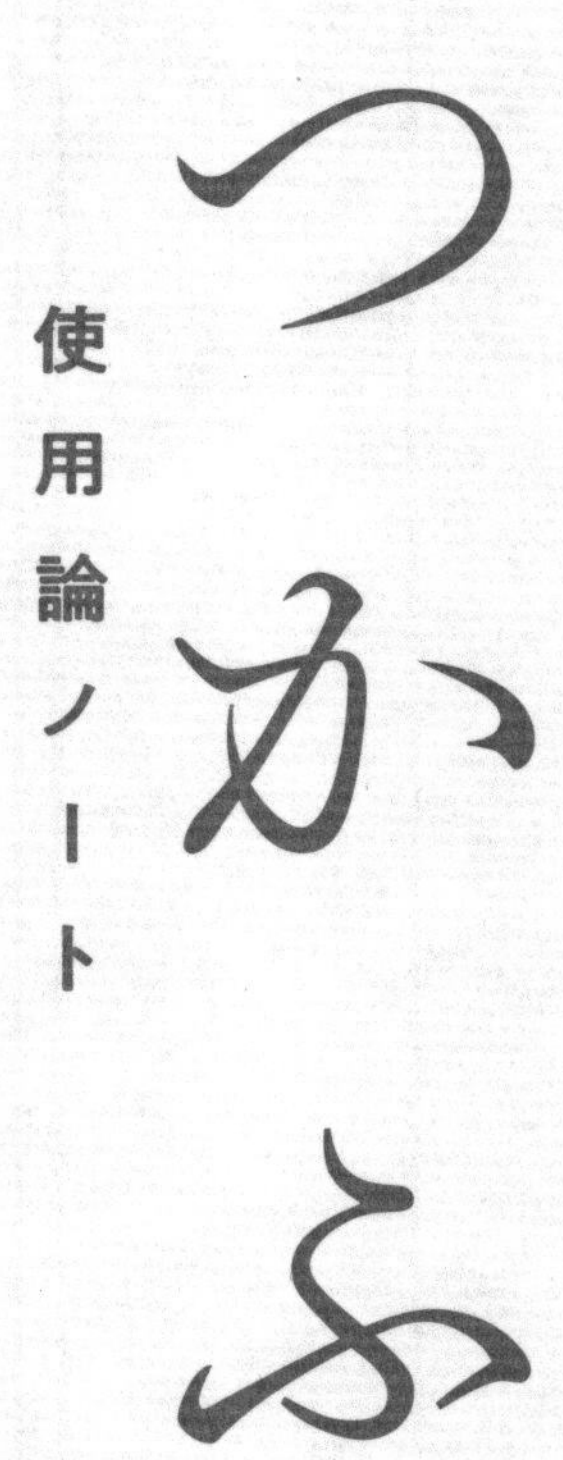

使用論ノート

鷲田清一

小学館

つかふ

使用論ノート　目次

つかふ　使用論ノート

III 使用の過剰 ——「使える」ということ

Ⅳ 「つかふ」の諸相（スケッチ）

Ⅴ 使用の両極

装幀　清水　栞

Q.

うれしいこどもが　すわります
かなしいこどもも　すわります
おかあさんも　ふざけてすわる
ねこも　ときどき　すわってる
ただひとり　すわれないのは　わたしだけ

A．わたしの　ひざ

（谷川俊太郎『えほん　なぞなぞうた』）

つかふ

使用論ノート

はじめに　使い、使われて

「つかふ」という語にはさまざまな表記がある。「使ふ」だけでなく、「仕ふ」もあれば「遣ふ」というのもある。「仕ふ」はだれかに仕えるということ、奉公や奉仕といった意味だし、「遣ふ」は「遣わす」というふうに他動詞として用いることが多いが、要するにだれかをじぶんの名代として送ること、つまりは「遣る」である。いずれも人を「つかふ」ことでありながら、他者を「道具」や「手段」として使うこと以上の意味をもつ。

いつごろからだろうか、「人を使う」「人の体を使う」といった言い回しに、わたしたちはつい眉をひそめるようになった。人を物のように扱うそのふるまいを、「無礼」とか「人権侵害」だと受けとめるようになった。それこそ「人をこき使う」とか「人使いが荒い」といったふうに。「つかふ」という語が妙に痩せ細ってきたのである。

とはいえ、家族生活をふり返ればすぐに気づくように、たがいに体を使いあう場面にあふれている。たとえば子育て。食事からおむつの交換、あるいはおんぶに抱っこ。おとなは赤子に立派に使われている。世話される側からいえば、だれかに身をそっくりあずけることができた頃の懐かしく甘い思い出の一つであろう。お父さんに肩車されたこと、仰向けになったお父さんに空中に押し上げられて飛行機ごっこをしてもらったこと。

おとなたちのあいだにもそれはあたりまえのようにあった。畳の上に四つん這いになってもらってその背中を踏み台にして背を伸ばし、時計の針を合わせたり上棚の物を取ったりしている図。倹しさというか、なんとも切ないものがあるが、それでも心の温まる思い出の一つである。膝枕、腕枕といえば、わたしにはもうはるか昔のことだけど、心のほどける思い出だ。そしていうまでもなく、家事、それに介助や介護。たがいに凭れあわないでは成り立たないような暮らしぶりが、家族のなかには雑然ときりなくある。これは、家族内の《献身》的な世話なのか、他者の《搾取》なのか、たやすくは割り切れない場面であり、ときに煮つまったり、出口なしのところまで追いつめられる場面でもある。

　子どもたちも負けてはいない。たとえばじゃれあい。不意に仲間の脇の下をくすぐって面白がったり、「ちん」という言葉とともに相手の鼻を指先で弾き、激辛の山葵につんとなるときのように涙を流させたりしたし――これを仲間うちでは文字どおり「ワサビ」と呼んでいた――、プロレスごっこでは物のように投げ飛ばしたり、足蹴にしたりというふうに、相手の体をおもちゃにしもした。

　そして恋人たち。恋人たちの姿で見るぶんにいちばん心地よいのは、たぶん、抱き合っているのでも、手をつないでいるのでもなく、腰掛けている恋人の太腿の上に、彼女がちょうど直角くらいに向きをずらせて腰掛けている図だ。ヘンな趣味があって、と勘ぐらないでほしい。人が別の人に、負担であるのを知りながら甘えて、あるいは信じ切って体を凭れさせている図というのにわたしはめっぽう弱い。もちろん子どもたちと同様に、なぶりあいというのもある。いちゃつくだけでなく、相手の体を探索するかのように、あちこちこそばったり、撫でたりして、相手がたまらずのたうつのを見て楽しむという遊びである。

人が人に凭れる、乗っかる、人を踏み台にする、おもちゃにする……。こんな例ばかり挙げていると、きっと眉をひそめられる。すぐに、人の体を使う側からする手前勝手なファンタジーに甘ったるく浸っているだけだ、という声が聞こえてきそうである。

けれども、重度の障害をもった人の介助にあっても、あたりまえのことだが、「人を使う」ということがなんともあっけらかんと語られることがある。ジャーナリストの斉藤道雄さんが「浦河ひがし町診療所物語・14」(「くらしと教育をつなぐＷｅ」214号、二〇一八年6／7月号)のなかで引いている例である。

「べてるの家」でも有名な北海道浦河町に、「応援ミーティング」と名づけられた取り組みがある。「親が統合失調症などの精神障害を抱えていたり、アルコールやギャンブルの依存症に陥っているなど、さまざまな事情から子どもの虐待があるか、または虐待を起こしかねない家族」を応援する、地域ぐるみの活動である。医師や看護師、ソーシャルワーカーや保健師、さらに役場の子育て医療課担当者や教育委員会のスクールカウンセラーなどがあたっており、かれこれ20年近く続いている。

この応援を受けるひとり、めぐみさんは、統合失調症を抱えて苦しむ若い母親である。彼女がその「応援ミーティング」で、つい先だって、ソーシャルワーカーに付き添ってもらって、体調の悪いお子さんを受診させるためにはじめての小児科をみずから訪れたと報告する。いつもならいやなことがあると、ぷいっとパチンコ店に行ったり、行方不明になったりするめぐみさんだが、この日は半年の「練習」の成果があったようで、じぶんからワーカーに付き添いをお願いしたのだという。

「自分で頼みました。（誰かに）いわれたんじゃなくて」。いつもなら坊やが熱を出してもほったらかしにしておくめぐみさんが、である。これに、スタッフのひとりが「使い方が上手だねー」と合いの手を打つ。「ワーカーを上手に使って、すごいねといういい方に笑いが起きる」。すると付き添ったワーカーがとぼけてこう言う。「上手に、使われております」と。

そこにすかさず医師が割って入る。その医師、川村敏明さんは、「子どもにも親にも温かい気持ち」と「厚みのある援助」が大事だとしつつ、こうのたまう。「（援助するのが）ひとり二人だったらね、（受ける方は）すごく不安なんです。どっさり、人がいるんです。ふふふ。質より量です」と。これを聞いた保健師は思わず吹きだし、「あたしたちって質より量なの？　あはは、そうなんだ」と言う。するとさらに川村医師が返す。――「しっかりした人がひとりや二人じゃダメなんです。しっかりしてない人たちがいっぱいいるところに、多少、ちょっとしっかりしたのがポツン、ポツンと入ってる。すると、温かみが出てくるんです」。

笑いの充満する《応援》の場で「使う」「使われる」という語がにこやかに行き交う。そこでは、使用する者が使用される者を（おのれの利のために）手段として用いる、簒奪（さんだつ）する、搾取するといった一方向の「利用」ではない、相互の応じあい、支えあいが屈託なくいとなまれている。単方向に痩せ細ったのではない、膨らみのある双方向の関係。そのような広やかな「つかふ」をもういちどわたしたちの暮らしにたぐり寄せたい。そんな思いで、わたしはこの論攷（ろんこう）を書きついだ。

I 「つかふ」の原型

1.「つかふ」という事態

あらためて「つかふ」という語の意味の広がりを見ることからはじめたい。

「つかふ」という語には、他動詞的に用いられるものと自動詞的に用いられるものとがある。前者が「使ふ」、つまり使用であるのに対して、後者は「仕ふ」、つまり仕えるである。

その「つかふ」（使ふ・仕ふ）という語はそもそもが、「付き」と「合ふ」が結合してできた語だといわれる。たとえば大野晋編『古典基礎語辞典』（二〇一一年）。その記述を引くと――

つか・ふ　ツカウ　【仕ふ】自動ハ下二
〔解説〕動詞ツク（付く）の連用形ツキとアフ（合ふ）とから成るツキアフの約。ツキは相手に密着する意で、アフは相手の重みや心の動きに合わせる意であることから、ツカフは下位の者が上位者（君主）の意向に合わせて働くこと。
ツカヘマツル（仕へ奉る）、その音便形ツカウマツル（仕る）の形で用いられることが多い。

『名義抄』では「服・侍・使・仕・従仕」などの漢字や熟語をツカフと訓む。

つか・ふ　ツカウ　【使ふ】他動ハ四
〔解説〕ツキ（付き）アフ（合ふ）の約。自動詞はハ行下二段活用ツカフ（仕ふ）。物・人・心などを、そのことに役立つように働かせることが中心的な意味で、具体的には道具として使用する、人間を召し使う、雑用をさせる、気持ちを働かせることをいう。
（この二項、執筆は西郷喜久子）

「付き」とは「相手に密着する」こと、「合う」とは「相手の重みや心の動きに合わせる」こと。何のことはない、「つかふ」とは「つきあい」のことなのだ。
「つきあう」といえば、現在ではすぐに男女間の交際を思い浮かべるが、相手が人であれ物であれ、それを使うなかには、相手に合わせる、そのことでじぶんも変化してゆくということが、この語に本質的なこととして含まれている。だから、相手の、対象の、ありようというものが大きな意味をもつ。
とりわけ「仕ふ」の場合、「奉仕」がそうであるように、相手のほうにイニシアティヴが移る。「仕ふ」とは相手の意向を尊重し、それに従うこと、それにおのれを合わせることである。相手が倒れないように下支えるとき、あるいは横で支えるときには、「支え」と書く。そう、つっかえ棒の「支え」である。

これは物を相手にするときもおなじだ。だから、道具のことも、その「つきあい」のプロセスを大事にする茶事や仏事などでは、「お道具」と呼びもする。物との交流にも深い行き交いがあると、古人たちはずっと考えてきたのである。人と物とを古人たちは現在のわたしたちほどには区別してこなかったのだろう。

「つかふ」といえば、「使ふ」「仕ふ」に加えてもう一つ、「遣ふ」という表記もある。「遣はす」というふうにふつう他動詞として用いる。何処（どこ）かへだれかを遣わすというおなじ意味で「遣（や）る」ともいう。

人を使うといえば、人を「出汁（だし）に使う」とか「こき使う」といった他人の搾取、つまりは他人を手段として利用もしくは代用するような場面をつい思い浮かべてしまう。が、人を使うということが、それとは逆にポジティヴな意味をもつ場面の一つとして、この「遣はす」ということがある。

人はだれかをじぶんの代わりとして遣わす。いわゆる「名代」としてである。この者の言うことはわたし自身が言っていることと解してもらってかまわないとの思いを託して、である。じぶんの思いのすべてをじぶん以外のだれかに託すということである。「遣はす」は人のそんな重いふるまいをも表わす。

「つかふ」という語の含むところは、このように、「使う」という語よりもはるかに広い。今日わたしたちが口にする「使う」という語が意味しているのは、人が物を、別の人を使う、それもみずからの意志するものの実現のために、その道具として、手段として、利用するということであろう。「使用」には、使う者と使われる物ないしは人との分離ということが前提として含まれる。非対称の力関係である。ここではイニシアティヴは使う側にある。けれどもこれは、右に見たように「つかふ」ということのほんの限られた局面でしかない。

たしかにわたしたちは日々、道具を、そして人を、使っている。が、道具を使うということにおいてさえ、その関係は、使用する側から使用されるモノへの単方向のものではない。道具を使うということは、道具というモノの（わたしたち自身とは異なる）構造を受け容れることで、逆に自己の可能性の範囲を拡げてゆくことである。ということは、道具は身体を拡張したものになるとともに、身体のはたらきもまた道具によって変容させられてゆくということである。このときもちろん、身体のフィジカルな条件が変わるということはない。指が増えるわけでもなければ、器官の配置が変更されるわけでもない。が、『法の哲学』第九〇節においてヘーゲルが所有について語っているところをもじっていえば、使用においてわたしの身体が外なるモノのなかにおのれを置き入れるとき、わたしの身体は、そのモノのうちに反映されるとおなじだけそのモノにおいて捉えられ、規定される。この相互変容の過程は、身体とモノという二項のあいだの閉じた関係として起こるのではないということ、このことにまず留意しておく必要がある。

人を使うということについても、おなじことがいえる。他人を道具として使うといえば、他人を手段として利用しているとか、人としてのその存在を蹂躙（じゅうりん）している、搾取しているなどと、顔を曇らされそうである。じっさい、他人の体を性的快楽の手段として用いることとして、搾取を意味する exploitation と sex の合成語、sexploitation（性的搾取）という言葉もあるくらいだ。身のまわりを見ても、他人を自己の欲望充足の手段としたり、他人をじぶんの手足としてこき使う例に事欠かない。

　ここで、人の存在を手段にしてはならないということに正面切って異論を唱える人はおそらくいない。ただしここでは、人を、あるいはその身体を使うということが、他者の存在をじぶんの利益のために利用することとおなじとされている。けれども、他人を蹂躙するのではなく、他人との深い信頼のなかで、たがいの体を使いあうという場面が、それこそ「おたがいさん」と声をかけあい、助けあうなかに、あたりまえのようにあったはずだ。

　人は協働して暮らしている。支えあって暮らしている。そういう協働や支えあいの場面にあっては、人は「ちょっとごめん」と言って、傍らの他人を道具としてよく使う。じぶんでしなければならないことをじぶんだけではどうにもしようがないときに、他人に代わりにやってもらうような場面も数え切れなくある。介護や介助といった活動では、サポートするというのは、じぶんを使われる者とすることである。支えとして、あるいは手足として、用いられることである。

　私事になるが、わたしは料理が調理場から座敷へと運ばれてくる会席料理というのが苦手である。カウンターで、料理人さんの働く姿を見ながら舌鼓を打ちたい。調理の様子を見ていれば、料理の仕上がる時間を待つのもてんで苦痛ではない。わたしがつい感じ入って、随想を書くときにくりかえし引く言葉に、こんなのがある。霜山徳爾（しもやまとくじ）が『人間の限界』（一九七五年）のなかで、ある老舗料亭の主人の言葉として引いているものである。――「ものの味わいの判（わか）る人は人情も判るのではないかと思いやす。人が働いてくれてるということ、この情愛がわからん人々が世の中に多いさかいにね……」。

じぶんのためにだれかが働いてくれている。人をじぶんのために動かすというのはほんとうは申し訳ないことなのだが、でもとてもうれしい。そういえば、金を払うのはこちらなのに、それでも店先では「すみません」と言い、帰りには「ごちそうさまでした」と言う。仕事を挟んで交わされるこの慮り(おもんぱかり)は、たがいにいのちの世話をしあう家族であれば、あるいは保育や介護、介助といったいわゆる福祉サービスのなかでは、この調理の場面以上に濃密であろう。

それなのに何かを「つかふ」、とりわけ人を「使う」という場面になると、現代人の物言いはなぜかひどく窮屈なものになる。それは、すこし先走っていえば、「つかふ」ということが、それがだれかのものだからという意味で「所有」という観念と結びつくときに、「つかふ」をめぐる議論が《権利》の次元に移行することと関係している。

「使用」と「所有」という二つの概念の錯綜(さくそう)についてはいずれ詳しく見ることになろうが、ここでさしあたって言っておきたいのは、西欧近代の所有権をめぐる議論のなかでは「所有〔権〕」の概念は「自由処分権」(disponibilité/disposability)、つまりあるものを意のままにしてよい権利と結びつけて考えられてきたということである。これはわたしのものである、だからそれをどうこうしようとわたしの勝手である、という理屈である。これは、生命や身体、財産といったおのれの存在のコアとなるものを、わたしの意に反して他者がみだりに侵害することを阻むという意味で、個人の〈自由〉の根幹をなす、ひじょうに大事な考えである。

けれどもこれは同時に、わたしが意のままにしてよいものごとを排他的に限るということでもある。するとたんに議論は硬くなってしまう。どこまでがわたしが意のままにしてよい領域で、どこからが他者の領域かという、境界の意識が先に立つからである。ある物・者の「使用」についても、使用する前に、それを使ってよいのかどうかという意識が先に動きだす。使う者と使われる物・者のあいだに「べし／べからず」という規範的な意識が挟まるのである。このところでいえば、《コンプライアンス》という概念にもそういう面がある。企業や行政の組織においては、何ごとをするにしても、それにともなう責務とそれについての説明責任とが問われるようになっている。そこで、糺（ただ）されないように、責められないようにと、他者とのリスキーな関係を控える、リスクが生じるような場面を予防的に回避するといった意識が強くはたらくようになる。抑制や点検、監視の意識ばかりが先行し、そこからは（comply という語のもつ）要請に応じる、人の願いに応えるという、いわばこちらから迎えにゆくような心持ちが、「自粛」という名の萎縮に裏返ってしまう。使う者と使われる物・者との深い交感をあらかじめ回避するような皮相的な関係として、上滑りしだすのだ。

たしかに、（他者を）「使う」という関係は、奉仕という名の「搾取」ないしは「簒奪（さんだつ）」へとしばしば反転する。サーヴィス（奉仕）がサーヴィチュード（隷属）へ、である。「世話して当然」という意識が、世話を自発的なものでなくし、強制へと裏返してしまうのだ。そこにはまた、「ケアする者がケアされる者にケアされ返す」という「達成感」（お駄賃？）がことさらに強調されて、だから少しくらい労働条件が不利なものでも我慢しなければ、といった奇妙な理屈がまかり通りもする。この点で、「使用」は危うい事態でありまた概念でもある。こういうことがたしかにある。

けれども、《権利》の次元でのそういう語り口が、もう一方で、「つかふ」ということのイメージをとても貧しくしていることも、おなじようにたしかである。ひとはたとえば老いのなかで、「世話をしてもらうばかりで、こっちは何にもしてやれずに申し訳ない」といった意識にしばしば苛(さいな)まれる。迷惑をかけてばかりで済まないという意識である。しかし、これはほんとうに迷惑をかけることなのだろうか。迷惑をかけてはいけないと遠慮することのほうが、じつはもっといけないことだったはずではないのか。そしてそういう思考の回路こそが、現在、人の存在をとても淋(さみ)しくさせているということはないだろうか。

ひとは齢(よわい)の幾つを問わず、支え、支えられて暮らすほかない。ひとは二十四時間要介護の状態で生まれ、また死んでゆく。そのあいだの「自立」の時期でも、じぶん一人の生活ですら独りでは賄いえず、他人との分業に負うしかない。となると、他人に凭(もた)れかかってなにが悪いのか。迷惑をかけあうということは人の常態なのであって、その迷惑をかけあうという関係から逃げないでいてくれた人には――呑(の)んだくれ、くだを巻いては周りの人を困らせ、借金も踏み倒してついに朝の海に消えた、あのたこ八郎の人生締めくくりの言葉を借りて――「めいわくかけて　ありがとう」とこそ言うべきではないのか。たっぷりと迷惑をかけさせてもらえるような関係をもたせてくれてほんとにありがとう……と。

たがいの体をケアしあうこと、弄(もてあそ)びあうことを、ひとはなぜ回避するようになったのか。人にあてにされる歓び、人に使ってもらえる喜び、人に身をあずける悦び。あるいは、じぶんが主宰者の役、いってみれば主人公になるのではなくて、代役になり、脇役になる、縁の下の力持ちになり、黒子あるいは駒になる、武道では投げられ役、時代劇では斬られ役になる愉しみ。そういう使われ、る愉しみが、その脈絡を取っ払って人しなみに、人格を手段化することと解されることで、人と人とがたがいを使いあう、そういうディープな場面がとても貧しく見えてしまうということはないか。

いましがたわたしは、「使用」のイメージが「所有」の観念と連動することで、使用をめぐる議論が窮屈になっていると言ったが、「所有」と「意のままにできること」と「自由」という三つの観念の奇妙でかつ鞏固な結びつきこそが、じつは、意のままにならないものと交わることの愉しみを殺いできたようにおもう。ここで意のままにならないことというのは、とりわけ子育てや介護に見られることである。あるいは、「健常者」や「マジョリティ」とそうでない人たちの迎接の場面でしばしば浮上しもする。けれども、たとえば子育てにおいてなら、周りから差し伸べられる手がほとんどなくて、親子の関係が内へと閉じざるをえず、そのなかで子どもが思いどおりにならずに親がどんどんストレスを溜め込むときの不安とともに、あるいはそれ以上に、こう言ってもいいのではないか。子どもがどんなふうに育つか予想もつかないこと、つまりは子どもが思いどおりにならない存在であることのうちにこそ、子育てのほんとうの愉しみがある。そう言わせない状況こそが問題だ、と。

自他の境界を劃定することばかりにかまけるのではなく、自他の境界をのびのびと跨ぎ越すということ。あるいは、体をむさぼりあうというよりはむしろたがいの存在をこそむさぼりあうということ。このようにたがいにそれぞれの〈わたし〉という囲いの外に出ることは、とりわけ性のコミュニケーションに見られるように、たがいがそれぞれに《小さな死》を惹き起こすものである。この脱自的ともいえる自他の交感については、伊藤俊治が『20世紀エロス』（一九九三年）のなかで、こう書いていた。──「現代において最大のタブーはもはやセックスなどではなく、「愛」なのかもしれない。セックスは今や、そうした愛の親密さや感情的な交感を避ける口実になっているのではないのだろうか」、と。

凭れあうということ、他者に依存しなければ生きてゆけないということは、たしかにひとつの貧しさである。あまりにも寂しい、人としての弱さである。けれども、人と人との、あるいは人とものとの、単なる依存ではない使いあい、むさぼりあいのなかには、人としての測りがたい豊饒さもまた深く抱擁されているのではないのだろうか。

2. 身体の用法

「使用」の孕む問題性が際立ったかたちで浮上する場面として、これまで他者の使用という場面にばかり注目してきたが、使用・利用といえば、まずは道具としての物の使用、家畜の使用がある。資源の利用がある。物は使い込むことで、家畜は使いこなすことで、馴染んでくる。使い込むなかでそれを知りつくすところまでくると、これを自在に扱えるようになる。とくに構えることなくつきあえるようになる。漆器は使えば使うほど艶が出る。茶碗もそれを使うたびに、服や靴なら着、履くたびごとに、手に、体に、しっくりと馴染んでくる。鏝光りという言葉にあるような鈍い輝きが射してきもする。「人馬一体」という言葉にあるように、もとはといえば異質な存在が一つに溶けあうような境地もある。

そこで次に、「使用」を、「自由である」ことと何かを「意のままにできる」こととの観念連鎖のなかにはめ込まないよう気をつけながら、「つかふ」ということの豊饒さをあらためて濃やかに描きだしてみたい。「つかふ」は、支配や統御の徴ではなく、むしろ強さと弱さとが刻々とめくれ返る、人のいのちの運動をもっともよく徴しづける出来事だとおもうからである。

人が物を、別の人を使う。それもみずからの意志するものの実現のために、その道具として、手段として、利用する。このように、使う側にイニシアティヴのあるのが、使うといういとなみである。ということは、「使用」には、使う者と使われる物ないしは人の分離ということが前提として含まれる。そう、非対称の力関係がそこには厳然としてあるようにおもわれる。

何かある物を道具として使うためには、それをまず手にとり、摑まねばならない。この摑むという動作は、握るという能力が備わってはじめて可能となると考えられやすい。握る能力がなくてどうして摑めるか、というふうにである。しかし、そもそも握るという能力はどのようにして獲得されたのかと考えてみると、握力とそれにもとづく使用という事態が、それまでの、摑むという行動の試行錯誤のなかで可能となったことがわかる。

わが家の息子がまだお乳を吞んでいるころのこと。仕事をしながら片手で哺乳瓶を支えていたので手がだるくなって、息子の顎のあたりにタオルを畳んで挿し込み、それで哺乳瓶を支えてみた。息子の手が瓶に当たって、つい転げ落ちるのだが、やがてうまくじぶんで支え持つようになった。そんな光景を思い出しながらおもうのだが、乳児は物を摑もうと試行錯誤をくり返すなかで、握る能力を身につけてゆく。握る能力があるから摑めるのではない。摑むことを覚えるなかで、握る能力もついてゆくのだ。

　乳児は未だ何かを使う「主体」ではない。乳児の感覚は混沌とした現象のなかに埋もれている。散らかっている。同一の「物」なるものをまだ知らないし、それを摑む「じぶん」というものの意識もない。この時期にはだから「いない、いない、ばあ」といった遊びにきゃっきゃっと歓ぶ。子どもの前から親が急に消える。突然、（ハンカチの、という理解もなしに）白い幕が現われる。が、次の瞬間にはまた親が戻ってくる。ハンカチの向こうに、現われたり隠れたりする「親」がいるということが未だ理解できずに、出現と消滅の交替に翻弄されるのだ。そんなことをくり返しているうち、やがて「親」は現われたり消えたりするのではなく、いまは見えないけれどもほんとうはハンカチの向こうにずっといて、ハンカチの陰に隠れたり、ぬっと現われたりするだけのことだということを学んでゆく。「親」は消失したのではないのだ。そうなるともう、「いない、いない、ばあ」はちっとも怖くなくなる。遊びは終わる。遊びは終わって、「親」は向こうに、「じぶん」はこちらに、別の存在として対峙しているという理解が生まれる。「主体」と「客体」という隔たりが生まれるのである。

　そもそも哺乳瓶をいじっているあいだにも、おなじような出来事が起こる。はじめは、じぶんの指先が視野に現われても、それをじぶんの指先などとはおもわない。きっといろいろなものといっしょに、ごたまぜになって現象しているだけである。そういう混沌のなかで、両手の指先がときおり触れあうなかで、じぶんがいま見ているものと触れているものが同一のものであるとの了解が生まれ、そこから遡行的に指も「じぶんの指」として理解されると同時に、摑もうとしている哺乳瓶がじぶんとは異なる「物」としてあることが了解されてゆく。現われる「物」と、現われに立ち会っている「じぶん」とが隔たり、分離しはじめるわけだ。そうしてはじめて、「わたし」が「哺乳瓶」を摑み、支えているという意識が生まれる。「わたし」がそれを持つ主体であり、哺乳瓶は「わたし」に持たれる客体であるという、「使用」の前提となる事態が生まれるのである。

これは、何かを道具や手段として使用するに先立って、まずは身体を使って「使う」能力そのものを獲得するプロセスがあることを示している。『贈与論』で有名なマルセル・モースに倣っていえば、道具を用いる技法に先立って、それが可能となる前提として、まずは「身体の技法」（techniques du corps）があるということである。

これはたしかに「身体の使用」（l'usage du corps）ではあるのだが、しかし道具としてのそれの使用なのではない。それを言うなら、むしろ「摑む」という行為の〈式〉を身につけるとでも言うべきであろう。手を使って物を摑むということができるようになると、摑むということは身体のあらゆる部位に浸透していって、脚で摑むことも脇で摑むこともできるようになる。行為のある〈式(スキーム)〉が一般化すると言ってもいいし、それが身体の各部位に転移すると言ってもいい。

わかりやすい例をひとつ。書くという行為である。

鉛筆を持って字を書くという行為は、思いのほか難儀なものである。そういう行為をあたりまえのようにできるようになるには相当な時間を要する。しかし、いったん字を書くという行為に習熟したら、あとは身体のどこでもそれをすることができる。鉛筆で字を書くには、鉛筆を持つ指、それを書くということにふさわしく動かすための手首や肘の用い方、そして姿勢まで巻き込んだ身体使用の〈式〉、つまりはスタイルが定着することが必要である。そしていったん、そういうスタイルが「鉛筆で書く」という行為として定着すれば、それはすぐに身体のあらゆる部位に転移してゆく。たとえばこれまでいちども練習していないのに、黒板にチョークで、鉛筆で字を書くに際していちども使わなかった、つまり練習すらしなかった肘や肩の関節を動かして、書くことができる。求められれば、砂場で足でおなじ字を書くこともできるし、腰の動きでその字形をなぞることすらできる。

こうした〈式〉もしくはスタイルは、いったん身体のどこかに定着すれば、他のいずれの身体部位においても反復可能なものとなる。そういう意味で「一般的」なものである。そういう行為のさまざまな「一般式」を束ねたものとしてわたしたちの身体はある。いや、物のひとつとしての身体は「わたしの身体」になる。身体（body）は〈物体〉（body）のひとつ――bodyとしての身体の了解はすでにそれを対象として自己から隔てたところに成り立つ――である前に、まずは〈式〉としてあるということである。

これを別の言葉でいいかえると、使うということは、道具の使用に限定されるものではないということである。道具の使用は、それを使う者と使われる物との分離を前提としている。しかしそういう分離が生まれる前提として、さらに別の、より根源的な使用の次元があるということである。ある特定の行為の〈式〉の定着とその転移、それを別の言葉でいえば、習慣の獲得ということになる。習慣の獲得とは、身体の新しい用法を身につけるということだ。杖（つえ）の使い方、包丁の使い方、楽器の弾き方・吹き方、自転車の乗り方、自動車の運転の仕方を習得し、それをとくに意識することもなくあたりまえのようにできるようになるということだ。たとえば、クルマの運転を習いはじめたばかりの頃は、ハンドルの感触、スイッチの位置、ペダルの操作などにばかり気を取られ、クルマの前方の状況にまでじゅうぶんに注意がゆかない。しかしそれらの操作に習熟してゆくにつれて、意識は道路の状況に向かい、操作じたいは意識の陰に隠れ、いわば自動的になされるようになる。そのうち道路状況の把握にも慣れ、鼻唄でも歌いながら、同乗者とおしゃべりもしながら、運転できるようになる。〈式〉はこうしてどんどん更新されてゆく……。とくに意識しないでもからだが勝手に動くようになること、これが習慣の獲得ということなのだ。

この過程で、同時にもうひとつ別の更新が起こる。それは意識の切っ先が道具の表面もしくは先端へと移行するということである。杖を使い慣れてくると、地面を探る感覚の先端は指と杖とが接触する面から杖の先端へと移行する。新しい靴を履きはじめたときは足と靴底との接触面に意識が集中しているのに、靴が足になじんでくると意識の切っ先が靴底、つまりは靴が地面に接する面へと延びてゆくように、である。楽器を弾くときは指と楽器とが接するところから楽譜のほうへ意識は向かうようになる。運転しているときも、意識は身体と自動車の装備との接触面から、自動車の先端部へと、さらに前方へと拡張してゆく。狭い道に入り込みそうになっても、ちょうど歩いているときにそこが通り抜けられるか瞬時にわかるように、クルマがそこを通り抜けられるか、それまた瞬時にわかるようになる。道具を使う〈わたし〉は、その意識のなかに、その活動のなかに、道具を呑み込み、併合してゆくのである。いいかえると、〈わたし〉はそれまでできなかったことができるようになる、つまりその能力を拡張してゆくのである。

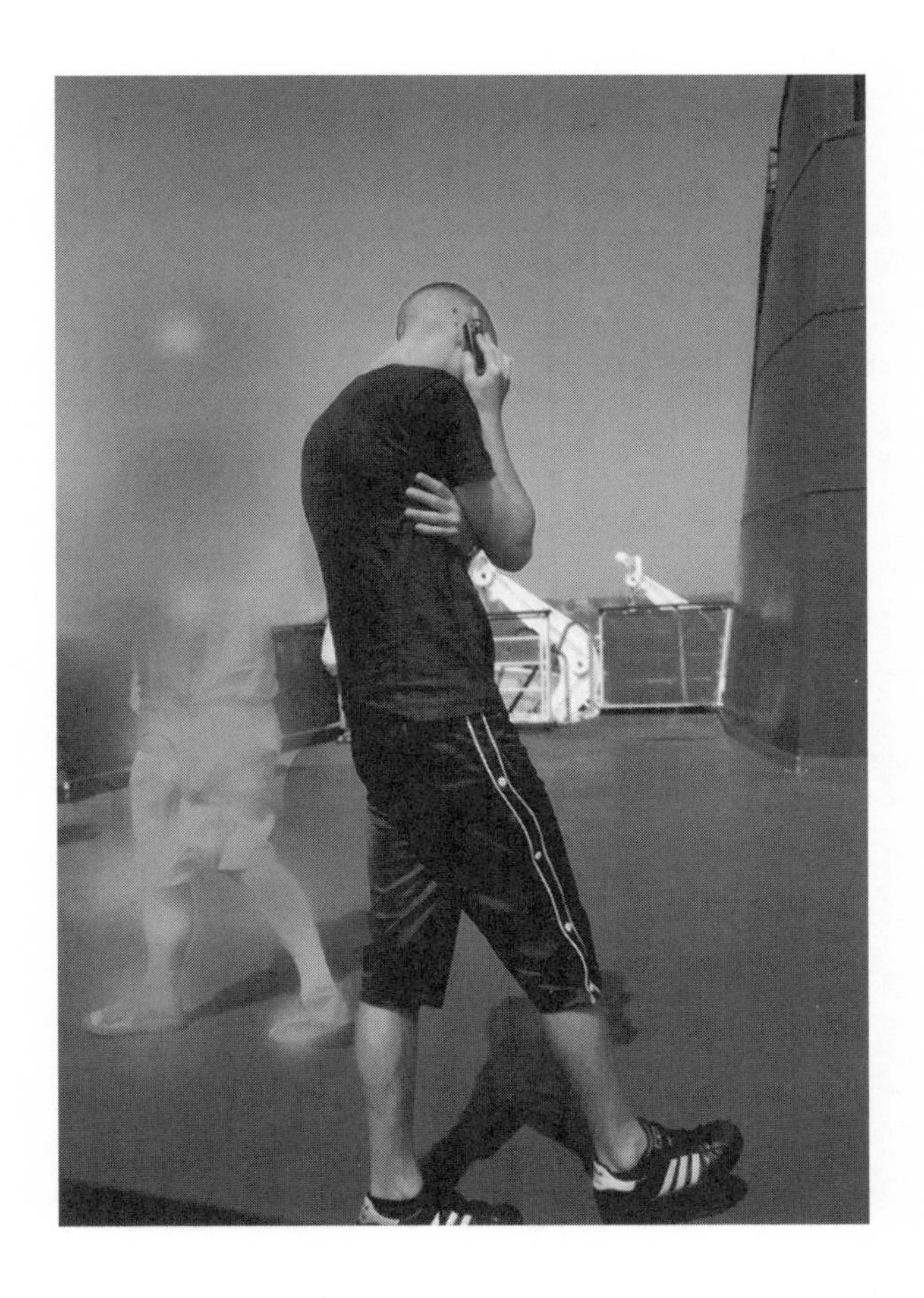

ヴォルフガング・ティルマンス
Gedser, 2004

ここで注意を要するのは、能力を拡張してゆくこの過程が、同時に、道具の特性が〈わたし〉のなかに流れ込んでくる逆向きの過程でもあるということだ。道具を使うことは道具の構造と交わり、それになじんでゆくということであり、そのなかで〈わたし〉のふるまいや活動の構造も否応(いやおう)もなく変換されてゆく。使用とは、使用者がみずからの構造を物に押しつける、つまりそれを統制下に置くということではなく、異なる構造を受け容れることで逆に自己を拡げてゆくということなのである。道具を呑み込んでゆく過程は、道具に呑み込まれてゆく過程でもあるということなのだ。そしてこれが知らぬまに人の「第二の自然」（second nature）となっている。

こういうことが道具使用のあらゆる場面で起こるにもかかわらず、ひとは使用においてみずからが明確なイニシアティヴをもつと勘違いしている。ひとは使っている気でいてじつは道具に使われていることになかなか気づかないのである。携帯電話やスマートフォンひとつとっても、使っているのか使われているのか、さだかでないときのほうがきっと多い。ここに何かを使うことの愉しさも怖さもある。使う者の自己変容ということである。使うものと使われるものとのあいだには、気づかれている以上に深い交わりがあるということである。

このことを裏書きしているようにおもわれるのは、習慣を表わす語である。日本語で習慣が身につくことを表わす語に、「慣らふ」がある。「慣らふ」は、ものごとをくりかえしおこなっているあいだにそれが「第二の自然」になること、つまりは「馴(な)る」ことであるとともに、「倣ふ」ないしは「習ふ」――「習う」はもちろん「学ぶ」（「真似(まね)ぶ」）ことでもある――こと、つまり、「慣らふ」べきものを模倣することでもある。西欧の語ではこういう意味の含みはさらにはっきりしていて、たとえば英語で習慣のことをcustomないしはhabitという。customはいうまでもなくcostume（衣裳）と姉妹語であり、「慣れる」を意味するラテン語の動詞consuescere（「習慣」を表わす名詞はconsuetudo）に由来する。動詞の「慣れる・馴らす」はaccustom。もう一方、habitも、おなじく習慣と衣裳をともに意味するラテン語のhabitusに由来し、habitusはhabere（持つ・保つ・馴らす）から派生した語である。そして「慣れる・馴らす」はhabituate。さらにhabitが動詞として使われる場合は、「着ている」「住む」（＝inhabit）という意味になる。

おなじことはフランス語にも見られ、習慣をフランス語では、coutumeもしくはhabitudeという。フランス語の場合、習慣を意味するcoutumeは服の仕立てを意味するcoutureに通じ、おなじように、habitudeは、衣裳を意味するhabitと通ずる。さらにhabiterが「住む」である一方、habituerは「慣（馴）らす」である。もちろん、これらもラテン語のhabereに由来する。

習慣が衣裳と意味を通じているということ、これがなぜ使う者の自己変容とつながるのか。衣裳を身につけるということのもっとも劇的な効果は、ひとの表面が皮膚から衣裳の表面へと移行することにある。衣裳を身につけているときに、もし他人がその衣裳の下へと手を差し込んだなら、それは〈わたし〉への蹂躙となる。衣裳の内側、そこはフィジカルにいえば〈わたし〉の皮膚の外側、つまりは身体の外部である。なのに、そこ、つまり皮膚と衣裳のあいだの空間をわたしたちはじぶんの内部と感じている。それは、衣裳をつけたとき、〈わたし〉の表面が衣裳の表面へと移行して、衣裳の内側は、皮膚の外側であるにもかかわらず、〈わたし〉の内部とみなされるから、感じられるからである。〈わたし〉の内部、それは外部の危険に晒（さら）されることなく、安んじて身をほどいていられる空間である。だからそれは「住まい」（habitation）にもつながるのである。

その内部が、何かの使用とともにどんどん更新されてゆく。使用されるものの異質な構造を呑み込んでゆく。呑み込みつつ、それに制覇されてゆく。「つかふ」ということは、想像される以上に劇的（ドラマティック）で、ドラスティックな、出来事なのである。

3.「なじみ」の生成

包丁は使い込むにつれて手にしっくりくるようになる。楽器はくり返し練習するなかで体の一部になってくる。野球のバットもマメが何度もできるまで振っているうちに意識と連動するようになる。

そして衣類。買ったばかりの服はどこかよそよそしい。皮膚と服の裏地の接するところが気になって、あるいは全体としての見栄えがどこかいまのじぶんにそぐわぬ感じがして、袖を通してもなんだか落ち着かない。だから衣裳室に吊（つる）したまま、翌年になってはじめてそれを着て表に出るというのもめずらしいことではない。いつもかなりとんがった服を選ぶ友人でさえも、買ったその日は一晩、その服を着て寝るらしい。するとやや型崩れして、身になじむのだという。

「なじむ」は「馴染む」と書く。外なる何かがおのれの内に染み込んできて「馴れ」が増すということだ。つまり、違和感が減じる、消えるということ。「馴染む」は物を主語とする。何かを使いこなすうちに、使用されるその物の特性が使用する者の側に浸透してくるという現象を言い当てる表現である。

前節でもすでにふれたことだが、道具の使用とはひとがその身体能力を拡張してゆく過程としてとらえることができる。だがこの過程は、同時に、道具としての物の特性が〈わたし〉のなかに浸透してくる逆向きの過程でもある。

道具の使用にあっては、ただ身体の機能を別の物で代替するということ以上のことが起こる。たとえば先ほども見た杖の例。新しい杖を使いはじめたときは、取っ手のところの感触が気になってしかたがない。馴れぬまま使っているうちにだんだん手に、そして体の運動になじんでくる。このとき並行して起こるのは、手の感覚の突端が取っ手との接触面から杖の先へと伸張することであった。まるで道の様子を指先で窺う（うかが）かのように、ひとは杖の先で道の形状を探るようになる。メルロ＝ポンティに言わせると、盲人の杖、それは彼にとって一個の「対象」なのではなく、したがってそれ自体として知覚されるものではなく、杖それ自体が彼の「感覚ゾーン」となっている。つまり、身体の嵩（ヴォリューム）ばりがこれによって拡張され、その拡張された「感覚ゾーン」のなかにひとは身を据えなおしつつ世界を探索しつづけるというわけだ。そこから、「盲人は、対象の位置を杖の長さによって知るというよりもむしろ、逆に杖の長さを対象の位置によって知る」のだということになる（メルロ＝ポンティ『知覚の現象学1』一九四五年、竹内芳郎・小木貞孝訳）。道具使用とは、世界を探索し、何かに狙いを定め、それに合わせて採るべき行動をも調節する、そういうみずからの行動の「可変的な射程」にその道具を登録もしくは編入してゆくことなのである。

この登録、この編入は、各人の身体機能を拡張してゆく（拡張＝イクステンション、つまりは外部へと引き伸ばしてゆく）過程であるとともに、それを機に、身体の用法、つまりは身体性を再編成してゆく過程でもある。身体性の拡張は、じぶんとは異なる物の構造の採り入れであり、それが新たに身体の用法のうちに参入してくるからである。物の構造がわが身のうちに《受肉》してくるのである。

それを楽器でいえば、身体と楽器の相互受胎ということになろうか。メルロ＝ポンティが丹念に見ているのは、オルガン奏者におけるそれである。オルガン奏者は弾き慣れたじぶんの楽器を持ち運びすることができない。訪れた演奏会場で、そのつど「鍵盤の数も違えば音管の設え方も自分の使い慣れた楽器のものとは異っている」オルガンを弾くしかない。だが、演奏会場に装備されたオルガンの前に座り、小一時間も練習すれば、まるでわが家に収まるかのようにそのオルガン装置のなかにうまく身を据えつけてしまう。じぶんの手足の位置を、わざわざ見て確認しなくても熟知しているように、鍵盤や音管の配置もすっとわかる。そしてふだんとなんら変わらずに曲を奏でるのである。音楽の装置のなかに身を据えてゆくオルガン奏者のこの熟知を、メルロ＝ポンティは、「昵懇知（じっこんち）」（savoir de familiarité）と呼んでいる。ちなみに、こうした知のあり方は、ウィリアム・ジェイムズやラッセルなど英米の哲学者が、ある対象についての知識（knowledge about）と対比して、対象に体でなじんでいるという意味で「熟知」（knowledge by acquaintance）と呼んだものにおおよそあたるだろう。

そしてこのとき、それへと向かって奏者の身体とオルガンの装備とを糾合してゆくもの、それこそが音楽なのだとメルロ＝ポンティは言う。オルガン奏者はこのようにして「オルガンという空間のなかに音楽的意味を配置する」と言ってもよいし、逆に、音楽が身体とオルガンとを縫合してゆくと言ってもいい。演奏というかたちで、身体とオルガンとが交差し、たがいを受胎しあうなかで、音楽というそれまでそこになかったものがそこに生起し、生成する。おなじことは、タイプを打ちながら文章を紡ぎだすときにもいえる。思考しそれを文章として語りだすときには、〈わたし〉が考え、語りだしているというより、「わたしのなかでひとが考えている」(on pense en moi)のだとメルロ＝ポンティは言う。潜勢状態にある未知の思考こそがわたしと言葉とを縫い合わせ、新しい表現へと導いてゆくのだ、と。未知の思考の漠とした「表情」がタイピングにおけるわたしの身体のある応答を促すというわけだ。

問題のすべては、だから、「どのようにして所作の音楽的意味が或る一つの局所において炸裂し、ついにオルガン奏者はすっかり音楽に身をまかせて、その音楽を実現しに来る音管やペダルとまさに一体となるにいたるのか」を知ることにあると、メルロ＝ポンティは言う。身体使用の新しいスタイルの獲得、つまりは《習慣》の問題である。いいかえるとそれは、ふるまいのある可変的な《一般式》の獲得ということなのだが、それについてはすでに述べているので、ここではその裏面で起こるもう一つの出来事、つまりは物（道具や装備）の側の変化について見ておこう。それが先に言った、使い込むなかで生まれてくる「なじみ」である。

「なじむ」とは、身体と物との相互の異質性が減じるということである。二つの境が溶けてくるのである。道具を使い込むとは、先の杖の場合がそうであったように、身体と道具との境界が薄れてきて、外部の物への感覚は逆に道具の先端へと移行し、そこで生起することになる。このとき身体と道具との境界が薄れてくるというのは、摩擦というかたちで表面化したたがいの異質性がしだいに摩耗してくるということである。質感の差異が摩滅してくるのである。ある意味で、これは表面の疲弊ともいえるものであるが、それは腐乱による爛れでもなく、乾燥による萎縮でもなく、あくまで擦れ、ないしは摩りのなかでの摩滅である。

この摩滅に魅せられて一冊の本を書いた人がいる。四方田犬彦。彼はその著『摩滅の賦』を、次のような文章で書き出していた。――「表面の艶やかな色彩の記憶も遠のき、優雅な尖端も欠落させ、もっぱら細部の不在によって一様に特徴づけられるこうした事物が、わたしを恍惚とさせる」。そこから四方田は、摩耗して表情さえもさだかでないボローニャの聖母マリアのレリーフを、ラテン語の残響がかろうじて聞こえるかというまでに擦り切れた隠れキリシタンの「おらしょ」を論じ、治癒祈願の仏像や撫牛、歯科医療や口にふくんだドロップ、挽き臼と砥石、残された最後の感覚可能な器官ともいうべき舌で印字を舐めつつそれでも文を読もうとする患者、地雷で足を失った人の切断面のつるつる、そしてデュシャンの「うっすらさ」というふうに、人手による摩耗、自然による侵蝕の跡をとどめる物の佇まいに、こよなく官能的で叡智的な言葉を這うように折り重ねてゆく。そしてついに、「あらゆる真実とは、もはやこれ以上摩滅することができなくなってしまった事物のあり方である」とさえ書きつける。

それにしても、この本を読み進めるうち、摩る、擦る、しゃぶる、撫でる、挽く、研ぐ……といった語が、忘れられたわたしたちの幼児期の悦楽と不安をくすぐるもののように響いてくるのは、いったいどういうわけだろう。

たとえば、撫でる。撫でるということでわたしがいちばんに思い起こすのは、病に臥しているとき祖母に「六根清浄（ろっこんしょうじょう）」というおまじないのような言葉とともに、患部を、あるいは背中を摩ってもらった記憶である。「撫づ」は「摩る・慈しむ・いたわる」やときに「挽き砕く」をも意味する。この「撫づ」は、「宥（なだ）む」「なだらか」という語と同根で、「寛大に処する・なだめる・機嫌をとりなす・和らげる」といった意味の「宥む」へと、さらには「接触して抵抗がなく、なめらかなさま」、つまりは「円滑・難なく・偏りなく・ほどよく・柔和」といった意味の「なだらか」へといくらかずつ意味をずらせてゆく（大野晋『古典基礎語辞典』参照）。

対象とのそうした柔和でなだらかな接触としての「撫づ」は、その点で、対象を毀（こわ）さずにそっとまさぐるように探索するという面をもつ。物の表面を撫でてまさぐり、やんわりと押してその肌理（きめ）を確かめ、温みを感じ、ときに掌（たなごころ）のなかで転がして重みを感じる、そのような、対象とのおだやかな接触である。触れるか触れないかの極微の接触をつうじて、まさにまさぐるように対象をうかがうのである。隙間なく密着するのでも、がつんとぶつかるのでもなく、強い圧力をかけて対象を毀すのでもなく、さらに、なぶる、いじるというふうに弄ぶのでもなく、愛（いと）おしむように、聴診するかのように、その柔らかな接触に浸るのだ。

四方田はその本のなかで、「擦るということの悦びを通して世界を体験してゆくのが子供なのである」とも書いているが、そうしたまさぐりと溶け入りの甘美さをおそらくはもっともよく表わすのが、おしゃぶりであろう。

乳児は、物の形を指先でなぞる前に、たとえば茶碗の縁をひたすら延々と舐めつづけるなかで

「円さ」を感知する。畳の目を舐め廻すなかで物との距離を体感する。対象が唾でべとべとになっても、まだ舐める。しゃぶり、咥え、齧る。対象を探索するといういとなみにふける。やがてそこに眼や手が加わって、外界の探索はいよいよ厚みを増してゆく。そのとき最初の「しゃぶり」の記憶がいわば支え棒ないしは蝶番となって諸感覚を糾合してゆくわけで、それをメルロ＝ポンティは次のように書きとめていた。「質・光・色彩・奥行といったものは、われわれの前に、そこにあるものではあるが、しかしわれわれの身体のうちに反響を喚び起こし、われわれの身体がそれを迎え入れるからこそ、そこにあるのだ」。あるいはこんなふうにも。「われわれは、対象の奥行や、ビロードのような感触や、やわらかさや、固さなどを、見るのであり——それどころか、セザンヌに言わせれば、対象の匂いまでも見る」。ちなみに、「舐める」「撫でる」から「なぞる」「眺める」まで、対象の探索という行為が日本語では「な」という音でつながっているというのは、なかなかに興味深いことである。

　わたしたちがその感覚を総動員して世界を探索するとき、「しゃぶり」の記憶がそれら諸感覚の支え棒ないしは蝶番になっていると言ったが、そういう「しゃぶり」の記憶は、おとなになっても、人の行動のいわば周縁にあって執拗に反復される。飴玉を口内で転がしつつしゃぶるのがそうで、飴玉は口内で転がされているうち、角がとれて丸くなってくる。ときに砕かれ、すり潰され、やがて溶かされる。石で別の物を研いだり磨いたりするときよりももっと甘美な和みがそこに生まれる。その和みの体験をねだるかのように、ひとはふと手持ちぶさたになると、鉛筆やボールペンの端、メガネの柄の部分に口を寄せる。こうした「口内親密性」へのねだり、あるいは耽りがいっそうよく現われているのが、吸煙である。デズモンド・モリスはその著『ふれあい』（石川弘義訳）において、かつて執拗に吸いついた母の乳首を代替するゴム乳首の、さらにその代替物としてタバコをとらえつつ、人がよくとりつかれる口恋しさ、口寂しさをめぐってじつに細かな観察をしている——

たばこをのむ人は、たばこを口に運んだり、口元から手にとるときに、口のまわりを撫でるようなしぐさをよくするものである。このしぐさは、母の乳房をまさぐる幼児行為に似ている。また、一度口にしたたばこを、長い間くわえっ放しにして、たまに思い出したように灰を落とすだけという人がいる。この場合、口元にはさんだままのたばこは、半分眠りかけた赤ん坊が吸乳行為はとうにやめたのに、まだ唇にくわえているあのダミー乳首と同じ意味を持つものと考えられる。また、口元からたばこをはさみとったとき、手元の灰皿や何かに置く方が楽だろうに、そのまま指でたばこをいじくりまわす人もいる。そういう人の「やにのしみこんだ指先」は、人間の心にたばこを唇タッチするだけでなく、指でたばこを本物乳首の代用にいじくる深層心理がはたらいていることを、無言のうちに証言しているのである。

「しゃぶり」はこのように、人生の初発の時期にかぎって享受できたあの〝満ち足りた幸福〟（＝吸乳行為）の代償として執拗に反復されるものである。そういう意味で、「口内親密性」が、「なじみ」という親密さの感覚（intimacy や familiarity の感覚）のいわば通奏低音をなしている。「一見さん」と「おなじみ」の区別にまでつながるこの感覚はしかし、あくまでそういうかたちで異他なる物の存在の、その異他性を殺いでゆくものである。「我れ」に親密なものとなるというのは、「我がもの」となるということ、つまりは《所有》（プロパティ、我れに固有のもの、我れに近しきもの）というかたちでそれを呑み込むということであり、さらに我が意のままにできるようになるということである。そういうふうに他なる対象を併合し、領有する行為を感覚的に再認するふるまいとしても「しゃぶり」はある。

4．使用の「文化」

ここで一つ、留意しておくべきことがある。「なじみ」というこの内密な感覚にも《歴史》が書き込まれているということである。これまで見てきたように、道具がわたしたちの身体を拡張してゆくプロセスは、当の身体が道具によって再編成させられるプロセスでもあった。が、そうした道具と身体の相互変容のプロセスは、この二項のあいだの閉じた関係として生成するのではない。いいかえると、「使用」におけるわたしの身体と道具との相互浸透的な関係のありようには、一定の《歴史》がいわば身体とモノのあいだにそれに直交するようなかたちで挿し込まれている。ということは、「なじみ」というこの親密さの様相も、地球上のさまざまな場所で異なるということである。

川田順造（かわだじゅんぞう）は長く世界の技術文化を渉猟し、綿密に分析してきた文化人類学者だが、彼が取り上げてきた幾多の事例の一つに、鋸の使用法がある。

日本人の鋸の使い方を見ると、奈良時代、寺社の建設をした頃に用いられた鋸では歯の向きは、押す、引く、いずれでもできるような形になっているが、鎌倉時代あたりから、鋸の歯がはっきりと引く方向に刻まれるようになるという。鋸や鉋を日本人は押さずに引く。これは大陸から渡来した道具の使い方をあえて逆にしたらしい。ちなみに轆轤も右回り、つまり時計の針周りで使うが、これも世界で広くなされてきたのとは反対回りなのだという（『もうひとつの日本への旅』二〇〇八年、参照）。

このことは工匠たちが作業をするときの姿勢に関連すると、川田はいう。鎌倉時代の工匠は総じて、腰を床に下ろした低い座位の姿勢で作業をおこなう。この場合、鋸を押しても力が入らず、しぜん鋸を引くことになる。座位をとるのは、さらに、柱や梁に用いる用材がスギやヒノキといった「縦にまっすぐ木目の通った軟らかい針葉樹」だからである。たとえばフランスで用いられるナラだと木目はごつごつしていてまっすぐでなく、しかもきわめて堅いものだから、「立った姿勢で、体重をかけるように頑丈な鋸を押して切る」ほかない。さらにそれ以外に、当時の日本では良質の鉄が大量には入手できなかったので、倹約のために薄刃にした、そして押して一気に力をかけると破損してしまうので引くことにした、ということもあった。このように鋸を引くということ一つとっても、そこにはさまざまの風土的な事情が重なり合わさっていた。

こうしたいくつかの事情を、鋸を「引く」という一点へと収斂させてゆく過程はしかし、偶発的なものではない。そこにはそれなりの必然が、あるいは原理がある。川田はそれを「技術文化」と呼ぶ。「ある技術上の原則を、その技術を運用する人間の価値指向（世界観とくに自然観、生きものに対する考え方、経済観、労働観など）と組み合わせた複合」としての「技術文化」である。

ところで、わたしには前々から不思議におもってきたことがある。西洋の家具文化において、チェアが、事務椅子、腰掛け、ソファ、ロッキングチェアなど、用途に合わせてさまざまに機能分化してきたのに、日本の座布団や床几（しょうぎ）は、改良しようとおもえば容易（たやす）いはずなのに、工夫も改善もまったくしようとしなかったのはなぜか、ということである。座布団も床几も昔のまま。改良もせずに、長く楽に座りたければじぶんで工夫すればよい、横になりたくなったら折り畳んで枕にしてもいい……というふうに、使い手の恣意にゆだねてきたのである。おなじことはたとえば楽器についてもいえる。たとえば竹笛や尺八。これらは自然の竹を切り、孔（あな）を空けて作る。当然、太さも長さも一本一本異なるので、孔の位置も変わる。音を出すにも唇の締め方、唇を吹口に当てる角度を笛ごとに微妙に調節しなければならない。フルートなら、みなおなじサイズ、おなじ孔の位置。半音も正確に出せるよう、指の届かない場所に孔を空ける必要があっても操作レバーを使って開閉ができる。孔の塞ぎようを指先で調整する必要もない。だからだれが吹いてもおなじ音が正確に出る。和楽器ではどうしてこんなかんたんな工夫もあえてせずにきたのか。

川田の議論にふれて、すべてが腑（ふ）に落ちた。技術に反映されるところの「技術を運用する人間の価値指向」、つまりはフィロソフィーが異なるのである。

川田が『人類の地平から』（二〇〇四年）で展開している「三角測量」というアイディアを紹介しておこう。川田は彼自身がかなり長期間にわたって現地調査した三つの地域——日本とフランスと西アフリカの旧モシ王国――の技術文化を、十七世紀初めから一九六〇年代にかけてという時間幅で比較する。たがいに交渉がなかった時代の、三つの異なる、手仕事を中心とした技術文化の比較である。それぞれの具体的な事例にもとづきつつも、それらを技術の型を測るＡＢＣ三つの座標軸としてモデル化したのが、この「三角測量」である。

Ａはフランスから抽出された技術文化のモデルで、「二重の人間非依存への指向性」によって特徴づけられるものである。Ｂは日本から抽出されたモデルで、こちらは「二重の人間依存への指向性」によって特徴づけられる。この二つのモデルの差異は、前者Ａでは、まず第一に「個人的な巧みさに依存せずに、誰がやっても常に一定のよい結果が得られるように道具や装置を工夫すること」、第二に「できるだけ人間以外のエネルギーを使って、しかもより大きな結果を得るようにすること」がめざされるのに対し、後者Ｂにおいては、まず第一に「機能が未分化の単純な道具を、人間の巧みさで多様に、そして有効に使いこなそうとすること」、第二に「より良い結果を得るために、人間の労力を惜しみなく注ぎ込むこと」に価値が置かれるところにある。

川田は最初にごく単純な例をあげている。ナイフ、フォーク、スプーンという、それぞれ切る、刺す、掬う（すくう）というふうに機能分化した食卓の三点セットと、それら複数の機能を一つで担う箸との比較である。一人ひとりの器用さや訓練に頼らずとも、だれが使ってもおなじような所作が可能なように道具や装置を整えておこうとする技術文化と、道具を機能別に整備するよりも、あえて道具を改良せずに、機能を未分化にしたまま使う人の手の器用さを活かそうとする技術文化。この二つを対比して、モデルＡを「道具の脱人間化」、モデルＢを「道具の人間化」と呼ぶ。先の座布団や竹笛の例を思い出しつつこれをわたしなりに言い換えると、モデルAでは人間の身体にかかる負担をできるだけ軽減し、より《便利》で《快適》な作業へと変換してゆくことがめざされるのに対して、モデルBでは、なにより体をアホにしないこと、そのためにあえて道具を改良せずにわたしたち自身が体の使い方を工夫することが求められるという、そのような人間の活動をめぐるフィロソフィーの差異だということになる。

これに対してモデルCは、まわりにあるあり合わせのもので器用にやりくりするブリコラージュ（器用仕事）を特徴とするもので、「人間の道具化」と呼ばれる。西アフリカでは、じつに雑多な形状のヒョウタンが採れ、それらが旧モシ社会では「盥（たらい）、各種の容器、食器、柄杓（ひしゃく）、儀礼具、楽器の共鳴胴から浣腸（かんちょう）器にいたるまで、軽く手触りが柔らかで、どことなくユーモラスで、自然の循環系に入る、環境に優しい器材として」暮らしのなかでいまも広く使われている。このようにあり合わせの材料を使って器用に何かをなしてしまう。それが先の食卓の例では、素手で食べるということになる。いうまでもなく、これにも技術が、作法がある。

いま一つのポイント、労力についていえば、モデルAが、畜力、水力、風力等を最大限に利用しながら人間の労力をできるかぎり省くための工夫を重ね、やがて近代の機械テクノロジーの発展へとつなげてゆくのに対して、モデルBでは、より大きな結果を得るために人間の労力を惜しみなく注ぎ込むことがよしとされる。この背景にあるのは、モデルAにおいては、他の生き物の利用は（神に似せて造られた）人間の当然の権利とする《人類中心主義》（anthropocentrism）であり、モデルBにおいては、人間と他の生き物とを地続きの自然の一部と見、みずからが生きてゆくために他の生き物を殺生せざるをえない場合は、「供養」というかたちで「詫びる心情を表明する仕来たり」をもつ。これは、労働契約というかたちで、たとえ他者に手間賃を払って仕事をしてもらう場合でも、こまめに「ねぎらい」の言葉をかけ、茶菓を出すような習慣につながるが、モデルCでは、たとえば「ご精が出ますね」のように称え、ねぎらい、励ます濃やかな慣用表現はさらに豊かになると、川田はいう。ちなみにこのモデルCの背景には、「自然と社会の両面での既存の状況に依存しながら、それに対してはたらきかけ懇願して、何とかしてもらう(マヌゲ〈manege〉)」、そしてそのうえでとりあえずはあり合わせのもので器用にやりくりするという風がある。

もちろん、この「三角測量」はあくまで多様な技術文化を比較分析するときの操作モデルとして具体的な調査群から抽出されてきたものであって、都市と農漁村部、そして地球上のさまざまな地域の商品経済と文化とがグローバルな次元でカオス的といえるまでにかき混ぜられてきた現在、それらのモデルをある社会が純粋な形で保持しつづけている例はほとんどありえないのも事実である。そうした錯綜のなかにわたしたちの日々の暮らしはある。が、モデルAがグローバル標準として、圧倒的な覇権を印している現代社会のなかで、それによって周縁に追いやられてしまうモデルB、モデルCをどのようにしてそこへと取り込み、再評価してゆくかが、いまや人類社会に共通の大きな課題として迫っていることは動かせないと、川田は考えている。

使用におけるわたしたちの身体と道具との相互浸透的な関係のありようには、このように、いわばそれに直交するようなかたちで特定の「技術文化」が挿し込まれている。身体の使用法も、知覚の能力も、そういう歴史のコンテクストのなかで変容させられてゆく。道具を使うなかで何かができるようになるとともに、別の何かができなくなる、そういう行動と知覚の転位である。若き日のカール・マルクスが紙片に書きつけたように、まさに「五感は世界史の労作である」。「労作」とは、身体を、道具を使いこなすわざ、つまりはひとの「技倆（ぎりょう）」によって可能となったもののことである。そしてこの「技倆」こそ、「なじみ」というあの親密さの感覚と裏腹の関係にあるものである。そこで次に、「つかふ」におけるこの「技倆」という側面を問題としたい。

Ⅱ 技倆(ぎりょう)――《用の美》から《器用仕事》へ

1.「用」と「美」

「彼らは見たのである。」
論攷(ろんこう)は、唐突にこの文で始まる。一の章番号に続けて。二は「さらば何をまともに見たのであるか」で始まる。三は「しかも見ただけではない」で、四は「だが何を用いたのか」で、五は「ではどう用いたのか」で。力強い筆運びである。

当初、雑誌「工藝」（一九三五年）に連載され、幾度かの推敲を重ねて翌年私家版で刊行された柳宗悦(やなぎむねよし)の「茶道を想う」である。

物があるから、それを見ることができる。あたりまえのことと、だれもがおもう。が、柳はここで、見ることから物が生まれるという、その「見る」を問うている。茶道において、見捨てられたただの器物、あまりに平凡でありふれた器物を、茶器に、ときには「大名物(おおめいぶつ)」にまで育て上げる眼のことである。

柳が河井寛次郎とともに見分した茶碗の極致ともいわれる朝鮮の飯茶碗「喜左衛門井戸」は、あまりに質素で、だれもとくに目をやらぬような並の物、「貧乏人が不断ざらに使う茶碗」、いえば無数に作られた雑器の一つであった。その「正体」について、柳は「茶道を想う」を世に問うよりも四年ほど前に、その並な姿を写し取るかのようにぶっきらぼうな口ぶりでこう記していた。

それは平凡極まるものである。土は裏手の山から掘り出したのである。釉は炉からとってきた灰である。轆轤は心がゆるんでいるのである。形に面倒は要らないのである。数が沢山出来た品である。仕事は早いのである。削りは荒っぽいのである。手はよごれたままである。釉をこぼして高台にたらしてしまったのである。室は暗いのである。職人は文盲なのである。窯はみすぼらしいのである。焼き方は乱暴なのである。引っ附きがあるのである。だがそんなことにこだわってはいないのである。またいられないのである。安ものである。誰だってそれに夢なんか見ていないのである。こんな仕事して食うのは止めたいのである。焼物は下賤な人間のする事にきまっていたのである。ほとんど消費物である。台所で使われたのである。相手は土百姓である。盛られるのは色の白い米ではない。使った後ろくそっぽ洗われもしないのである。朝鮮の田舎を旅したら、誰だってこの光景に出逢うのである。これほどざらにある当り前な品物はない。これはまがいもない天下の名器「大名物」の正体である。

（「「喜左衛門井戸」を見る」）

「だが」と一語、はめ込んで、柳は機関銃を連射するかのように、おなじ言い回しで論をつないでゆく。

だがそれでいいのである。それだからいいのである。それでこそいいのである。そう私は読者に言い直そう。坦々として波瀾のないもの、企(たく)らみのないもの、邪気のないもの、素直なもの、自然なもの、無心なもの、奢(おご)らないもの、誇らないもの、それが美しくなくして何であろうか。謙(へりくだ)るもの、質素なもの、飾らないもの、それは当然人間の敬愛を受けていいのである。それに何にも増して健全である。用途のために、働くために造られたのである。

平凡極まるもの、それこそが「大名物」となるその理由が、ここでは「健全」にあるとされている。「健全」は別の箇所では「健康」「健在」ともいわれ、さらには「自然さ」とそれを裏づける「無事」「無難」とも言い換えられている。「無難」とは文字どおり、「難なき状態」である。難がないとは、右の引用のなかの言葉でいえば、「用途のために、働くために造られた」のであって、それ以上でもそれ以下でもないということである。さまざまの「作為」や「技巧」などの余分なバイアスがかかっていない「物との交り」、そこに立ち現われる物の佇(たたず)まいと、それを言い換えてもよい。

しかし、よくよく「健全」とはどういうことか。ここでの柳の畳みかけるような口調があまりに爽快なので、引用が過ぎるのを承知しつつ、さらに続くもう一段落を掲げたい。

「そこには病いに罹る機縁がない」と、そう言う方が正しい。なぜなら貧乏人が毎日使う平凡な飯茶碗である。一々凝っては作らない、それ故技巧の病いが入る時間がないのである。それは美を論じつつ作られた品ではない。それ故意識の毒に罹る場合がないのである。それは銘を入れるほどの品ではない、それ故自我の罪に染まる機会がないのである。それは甘い夢が産み出す品ではない、それ故感傷の遊戯に陥ることがないのである。それは神経の興奮から出てくるのではない。それ故変態に傾く素因を有たないのである。それは単純な目的のもとに出来るのである。それ故華美な世界からは遠のくのである。なぜこの平易な茶椀がかくも美しいか。それは実に平易たるそのことから生まれてくる必然の結果である。

「技巧の病い」に罹っていないこと、さらには「意識の毒」「自我の罪」「感傷の遊戯」「変態に傾く素因」に冒されていないこと。「健全」の意味はそういう事態として描かれている。「あらゆる自負、気取、好事、技巧」とも無縁で、ひたすら「平易」で「簡単」で「無事」なものを、初代の茶人たちは朝鮮の飯茶碗の「簡素な形、静な膚、くすめる色、飾りなき姿」のなかに認めたというのである。そのとき、「見る眼」があったからそのように用いたのか、それとも用いるなかで「見る眼」を養っていったのか。

ここで「茶道を想う」に戻ると、そこでは、「見る眼」が器を育て上げるといわれていた。その育て上げを可能にしているもの、いや、さらに溯って「見る眼」そのものをも育てるのが、ほか

ならぬ《使用》であるともいわれる。「用いたが故になおも見得たのである。用いずば見了ること
がないともいえる」というふうに。使える物を使ったというのではなくて、これまでだれも用いな
かったし、そもそも何のために作られたかも知らないまま用いたところ、つまりは「用い方を案出
した」ところに、茶人の業があったというわけである。見捨てられた平凡な雑器を茶人がこれ以外
に使う物はないというところまで「使いこなした」器が、茶器だということである。

しかし、ひとは何をもって「使いこなした」といえるのか。これはなかなかにむずかしい問題で
はないだろうか。

「用い方が法則にまで入った」ことによって、と柳はいう。茶人たちの用い方が彼らだけの私的な
用い方ではなく、「用い方が彼らで型にまで高まった」と考えるべきだ、と。「用ゆべき場所で、用
ゆべき器物を、用ゆべき時に用いれば、自から法に帰ってゆく。一番無駄のない用い方に落ちつく
時、それが一定の型に入る」といえるのであって、「用い方をここまで深めずば、未だ用い足りな
いのである」というわけだ。だから、型は頭のなかで考案したものではなく、じっさいに用いるな
かでこうでしかありえないという意味で、必然として生成してくるといえる。そういう必然を、柳
は「自然」と呼び、その必然のみが物のかたちで現われているさまを「美」と呼んだ。

だが、議論がこのようなゾーンに入ってくるにつれて、この機関銃のごとき論の運びも爽快とば
かりは言っておれなくなる。

「用ゆべき」という表現がくり返されるが、必然をあらわすその「べき」――あるいはshouldな
いしはought to、つまり当為――という要請はいかなる根拠をもって言われるのか。無駄を無駄

と決めるものは何か。「物と清く交る」ことと、「物を玩(もてあそ)ぶ」こと、「物を瀆(けが)す」こととはどう違うのか。そういう区別の規準となるのが、柳にあっては「法」もしくは「自然」である——元来、この二つ、ノモス（法）とピュシス（自然）は対立する概念である——。そこで排されるのは何よりも「作為」と「技巧」である。この二つの人工を斥(しりぞ)けるからこそ自然だというわけだ。そしてこの「法」に、もしくは「自然」にかなっていることが、「美」とされる。

「用」を真の「美」の場所と定めるところに、柳の茶道論、工芸論の要諦はある。が、それは柳の議論がもっとも紛糾してくる場所でもある。「美」は「真」「善」とならんで、事象に差別を導入する価値論的な概念だからである。そして、「用」から「美」への議論の転位のなかで、柳はみずからの主張をおそらく裏切りとは意識せず、裏切ってゆくのである。

昭和に入ってしばらくのちに書かれた「「喜左衛門井戸」を見る」や「茶道を想う」では、鑑賞の美から「用に発し生活に根差した美しさ」への転換が図られた。そこではたとえば、「井戸」の曲(ゆが)みに美を見るのはいいが、それに倣い、わざと曲げてその見どころを作りだそうとするのはまぎれもない「作為」であり、鑑賞が製作を「掣肘(せいちゅう)」するという「意識の毒」「変態に傾く素因」、つまりは「技巧の病い」とされた。そういう仕方で、「用」のなかに価値序列が導入されたのであった。だが、その視点は、物を用いるなかで、いいかえると（鑑賞ではなく）「生活で美を味わう」なかで培われたものと、はたして言えるのか。その視点はたしかに、理論、由緒、銘、系統、手法といった「外面」から先に見る誤りを斥ける。「考える美」ではなく「交る美」を主張する。「彼ら（初代の茶人たち）は彼らの取上げた器物で美の標準を人々に贈った」というふうに。だがそれは器物を作った人たちの視点ではないのではないか。それもまた、作ることの内から立ち上がった判断ではなく、「外面」から見る人による判定ではないのか。

事実、「「喜左衛門井戸」を見る」と「茶道を想う」のちょうどあいだに書かれた「蒐集に就いて」（一九三二年）では、「正しく有つ」か否かがとくに問題とされるのだが、そこでしきりに強調されるのが「美」の差別である。

蒐集のなかにはなんとも「下らぬ」もの、「貧しい」ものがある。その例として柳のあげるのは、たとえばアインシュタインが使い残した白墨とか、貞奴（さだやっこ）が屑籠（くずかご）に捨てた折れ櫛とか、宿屋の勘定書、燐寸（マッチ）のレッテル、切手や香水瓶、さらには雑誌の創刊号といった類のコレクションであり、これは高価であることを自慢するのと同様、「愚か」なものだと断定する。巻き煙草の包紙と浮世絵とは「美術的段位が違う」といい、ダンテの文献の蒐集と豆本の蒐集とは「格が違う」というのである。

こうした「美」的差別に、鶴見俊輔（つるみしゅんすけ）は敏感だった。みずから編んだ『柳宗悦集』（近代日本思想大系24、一九七五年）の解題においてこう述べている。「しかし、このような断定には、何かかけているところがあろう。時代風俗のすぎてゆくもののかけらの中に、不完全な、こわれやすい人間の生き方を見ていとおしむ。そういう機会となるようなコレクションもまたありうる。つまらないまがいものからなるコレクションにも、このような感情がこめられていることがあり、それは、仏陀の悲願とは別のものとは、私には思えない」、と。

事実、柳自身がのちに「美の法門」（一九四九年）で取り組んだのは、美醜の差別を乗り越える視点をいかに手にするかということであった。十数年前にみずから設定した美的差別そのものを、ここでは厳しく斥けたのである。いわく、「考えると美醜というのは人間の造作に過ぎない。分別がこの対辞を作ったのである」。とどのつまり「美醜の別は病いである」。このとき、柳にとって最重要だったのは「美醜の分別」を超えることであり、「美醜の作為」を去って、「本来の「無事」に立ち戻る」ことなのであった。

「美の法門」の冒頭で柳が引く「大無量寿経」六八の一節が、柳のこうした思いを代弁する。

設我得仏　設ひ我仏を得んに
国中人天　国の中の人天
形色不同　形色不同にして
有好醜者　好醜有らば
不取正覚　正覚を取らじ

柳自身が訳した文はこうである。——「若し私が仏になる時、私の国の人達の形や色が同じでなく、好き者と醜き者とがあるなら、私は仏にはなりませぬ」。

美醜の差別と序列を容れることを「病い」と断じる、昭和一桁の時代の自身の議論を総否定するような議論である。「美の法門」という題目どおり、雑器のただ中のあの「法」は、「物との交り」あるいは「生活の模様化」、つまりは所作が文様のように整えられることから、心の「法」、仏門の「法」へと抜け出ている。「用」の立場に立てば、美の法廷は、使用の、そして製作の、外部にはありえないはずであった。なのに、「美醜の分別」という作為に先立って与えられているありのままの「本分」が、かつてのあの「無事」へと戻される。輪は一周大きくなったが、論の構造は変わらない。それもまた「外面」から見るという限界を超え出ていない。

「使いつくした」というのは、だれもみずから確証しうるものではないのではないか。「正しい用い方」への問い、いいかえると、それが「何」の役に立つのかという問いも、ついに探究の途上にあるほかないのではないか。美の法廷は、使用と製作の外部にはありえない。そういう柳の初期の態度に、いましばらくとどまりつづけたい。何が作為であり、何が「法」もしくは「自然」であるかは、カントのいう「統整的原理」のようなものであって、ことがらを内側から構成するものではおそらくはない。

「用いられる」とは、よくよく何なのか。「役に立つ」とは、どういう事態をさしているのか。

2. 技巧・技術・技倆

鑑賞される「美」よりも、「用の美」、つまり用いられるなかで立ち現われてくる「美」を、柳宗悦はこよなく愛でた。だが、「用の美」が「美」であるのは何によってであるか。そのことを、作ること、用いることとそのこととの内部からあらわにすること。そこに柳の本来の課題があった。

「民藝」と「工藝」を称揚するなかで、柳がその根拠として「用の美」を言うとき、そこには、権威を粧い装飾を極める「貴族的」な工芸や、「藝術」家としての個人作家による工芸への反撥（はんぱつ）が、あきらかに見てとれる。

とりわけ、生活に密着した用品というよりも、そこから遊離した飾り物（もしくは蒐集品）としてある「貴族的工藝」への批判には厳しいものがある。いわく、それらは「自由な延び延びした仕事」ではなく「極めて綿密な注意深い労苦」でしかないし、「活々した腕を示す」のでなく「用心深い神経の技」でしかない。つまり「その形態や彫琢や紋様は、病的なまでに精巧であり複雑」であると、柳は『工藝文化』（一九四二年）のなかで言い切る。いやさらに直截に「実用性への閑却は品物を正しくは育てない」とも。

ここで「延び延びした仕事」や「活々した腕」といわれるときの、その「のびのび」「いきいき」が、「用に交る美」の歓びの一つの証であることは、たぶんまちがいなかろう。ただこの「のびのび」「いきいき」が、他のだれにも煩わされぬ個人的な芸術制作や私的な鑑賞ではなく、民衆的な工芸についていわれるとなると、読者はいくぶんか違和感を抱かざるをえないだろう。というのも、民芸・工芸は多量のものをひたすら同一の手続きで作るものだからである。多量に作るとはおなじ作業を何度もくり返すこと、そして結果として廉価で売ることにつながるものである。じっさい、工芸品の多くが「什器」ともいわれるように、それはいってみれば「数もの」なのである。柳も指摘するように、「何人前」とか「揃い物」とか「一と組」などと複数形でいわれ、買うほうも「一対」とか「一ダース」とかの単位で求める。つまり、そこに、稀少なもの、類いまれなものというオーラはない。

が、まさにそこに柳は工芸の特質を見いだすのである。

「一つの機（はた）にしろ、轆轤（ろくろ）にしろ、型紙にしろ、凡て同一のものを反復するための道具」である。その意味で、「実用性」と「多量性」と「廉価性」とは分離することのできない概念なのである。これらの概念に通底しているのはいうまでもなく《反復性》という契機である。ただ、この《反復性》についても、それがただ「実用性」と「多量性」と「廉価性」とだけにつながるのであれば――ちなみに柳は「工藝美」の特質として、このほかに「公有性」「法式性」「模様性」「非個人性」「間接性」「不自由性」も挙げている――、手仕事よりも機械による制作のほうがはるかにそれに適うはずである。機械による制作は、手仕事に較べ、まずはるかに強大な馬力を動員できる。制作の速度、ぴたり同じものを作る正確さでもはるかに勝る。

けれども、と柳は言う。機械による制作は大きな資本を必要とするから、当然のことだがその工房は大規模な企業として経営されるほかない。それとともに、工房がまず家庭から工場に移る。工人は「自作工」から「雇用工」、つまりは労働者になる。そのことで、なにより「腕」がものをいう「道具の主人」であったはずの工人は、「機械に支配される」「機械に使われる」にいたる。

柳が民芸における《反復性》のうちに見届けようとしたのはそういうものではない。大量に作りうるような品はたしかに「平凡」ではあるが、しかし「多く作ることなくば現れない美がありはしないか」と問うて、柳はこう書く。

> 瀬戸や品野で焼かれた石皿や行灯（あんどん）皿の絵附を見るとしよう。おそらくそれは日に何百枚と描かれたに違いない。いずれも当時の雑器である。非常な速さで数多く繰り返された品物に過ぎ

ない。だがこのことは職人たちに充分な熟達を与えた。筆に十二分の自由を贈った。多く描かなかったら、そこに見られるあの筆致をどうして得られたであろう。反復こそは、別に才能のない彼らの筆に解放を与えた。技はいよいよ冴え、見ていると奇蹟が目前に行われている感さえするであろう。ほとんど無心にこだわりなく描けるまでに彼らの腕を高めた。その驚くべき速度、その淀みなき手さばき、描くことを忘れつつも描き得たほどの筆の確かさ。凡ては繰り返しを求める激しい労働の賜物なのである。量に交らずしては出ない美しさなのである。量に交ってこそますます冴える美しさなのである。多くを作らねばならなかった職人たちの命数への、不思議な酬いであるといえないだろうか。

まさに手仕事ならではの「技」であり、「腕」「手さばき」であり、「確かさ」である。柳はそこに工芸における「熟達」と「自由」を見る。柳がそうとまで言いうる根拠はいったい何か。

テクノロジーではなくテクニック――「技能」「技法」ともいわれるし、経験を積んではじめて身につく「メチエ」という言いまわしもある――は通常、「手」や「腕」に託して語りだされる。たとえば「手腕」「手並」「手際」「お手のもの」というふうに――「巧」も「手組み」に由来するといわれる――。あるいは「手堅い」「手が込む」「手を抜く」「手をかける」「手に余る」「手こずる」というふうに。さらに「腕を磨く」「腕をのす」「腕が鳴る」「腕を見せる」「腕に覚えあり」「腕に縒(よ)りをかける」というふうに。技能は工人の器用／不器用を決するのであるが、これはあくまで練習、つまり「反復の度」にかかっている。ひたすらくり返されるなかで「熟練」や「熟達」

が生まれてくる。

この技能について、柳はそこに三重の意味があるという。技倆（柳は「伎倆」と書く）と技術と技巧である。その一つ一つを、それぞれに典型的な例を挙げつつ以下のように説明する。

まず、「伎倆」である。それは「腕前」とか「手並」「手際」と言い習わされてきたもので、「腕の確かさ」や「上手／下手」「器用／不器用」の区別もこれをめぐっていわれる。


例えば轆轤で一個の碗を挽くとしよう。誰も慣れなければ、それをうまく廻転して、素地に形を与えることが出来ない。仮令出来ても色々と程度の差が生じよう。ここでうまく挽くためには腕を磨かねばならない。この修行が出来ないと一人前の職人にはなれない。機を織るにしても、竹を編むにしても、漆を塗るにしても、手際が要る。これを伎倆というのである。これが拙いと品物は不恰好になったり不手際に出来たりする。そのことは品物を粗悪にさせる。うまく染まらなかったり、織りに不揃いが出来たり、組みがゆるんだり、把手が外れたりしてしまう。うまく出来ていると呼ばれるものはこの伎倆の如何によることが大きい。


ここでは、いうまでもなく、ひたすらくり返し行なうことが「伎倆を上げる」。

次に「技術」である。これは、手の仕事、つまり「手際」ではなくて、むしろあたまの仕事、つまりは「智慧」だという。ここでは「熟練」ではなく「理解」が問題になるという。

例えば藍染を例にとろう。先ず藍玉を甕に入れるとしよう。水とどの位の割合にするか。またこれに何を交ぜたら発色するか、何度ぐらい掻き廻すべきか。また発色にはどの温度が適するか。また数多く糸染をする場合、何個甕を用意するのが得策か。また糸を藍甕につけたり絞ったりするにはどういう段取をしたらいいか。またこれを乾かし空気を充分入れるには、どういう方法をとったらいいか。また色止めをするにはどう処理したらいいか。水洗いはどの程度か。これらの細かい色々なことに当面せねばならない。

「技術」というのは、「ある仕事を専門とする者の心得るべき「みち」」であって、おなじく反復のなかで培われるとしても、「熟練」とは異なり、あくまで「反省」と「理解」のなかで養われるという。

最後は「技巧」である。

例えば好個の例として「楽」と呼ばれる抹茶の茶碗を挙げるとしよう。同じ茶碗とは呼ぶが、普通の茶碗類とはいたく違う。わざわざ手造りにする。形に歪みを与える。縁を平にせずに波を打たせる。高台の削りを粗くする。その中に渦巻の削り跡を与える。時として見込みに釉(うわぐすり)を垂らす。ともかくよく見ると色々の工作が施してある。

柳はこれについては冷ややかである。「技巧」はよく「作為」とも「画策」ともいわれ、意識的に行使されるがゆえに「危険」が多いという。「趣味」が過剰に出て、「誠実さ」を損なうことが多いともいう。ここでは、「たくみ」は「たくらみ」へとつい滑り落ちるという。

以上は、作る側からいわれることであるが、使う側からもおなじく、使うなかでの《反復性》の意義がしばしば口にされる。「よい品」は、持ちがいい、使い勝手がいい、手なれているというふうに。《反復性》は、作業におけるそれ、意匠（形と模様）におけるそれであるとともに、使用のそれでもある。柳はだからこんなふうにもいう。「作りたての時より、よく使いこんだ時の方が、美しさが一段と深い。それは美が自然さに戻ってくるからである」と。

ふたたびあの「自然」である。「必然」とも「無心」ともいわれたあの「自然」である。「技術」は作業の反復に「反省」を加える。「技巧」はおなじ反復に逸れを差し込む、いってみればしなを作ろうとする。これに対して、「伎倆」はあくまでおなじことの反復のなかで培われるものである。作る者と作られる物との関係が熟すところに生まれるものである。もっといえば、工人と道具と材料との相互浸透的ともいえる関係の内部に身を浸すなかで、浮き立ってくるというよりもむしろ沈澱してゆくものである。「自然」に還る、「自然」に身をゆだねるとはそういうことであろう。

けれどもそこにどこか牧歌的というか田園風というか、あるノスタルジックな響きを現代のわたしたちが聞きつけないでいられないのは、失われたものへの郷愁によってではなく、制作の光景がもはやこうした「内的関係」を許さないところまできているからである。そういう必然があるのである。

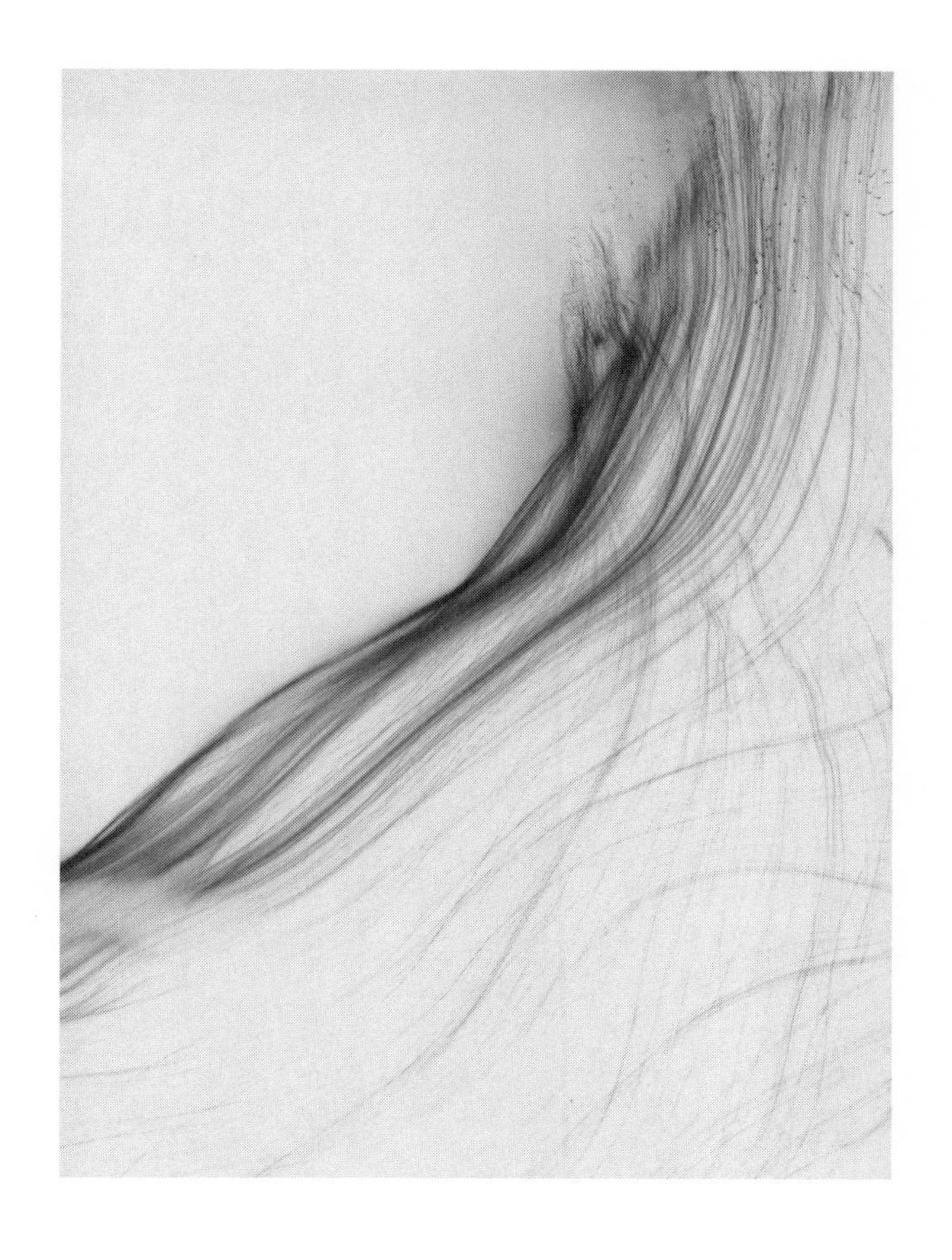

ヴォルフガング・ティルマンス
Freischwimmer 14, 2003

柳は「用の美」という理念を掲げた。いうまでもなく、何かを用いるというのは、何かをしようとして用いるのである。何かに用いるというのは、あるものを何かの手段として用いるのである。つまり、「用」にはつねに目的というものがある。何かを作るにしても、何かを道具として使うにしても、それでもってしたいこと、しなければならないことがあるはずである。

しかし、現代の都市生活にあらわなように、わたしたちの環境は作られたもので充満している。衣食住どれをとっても、買うもの、つまりすでにすべて作られたものである。作ることの拡張は、やがて環境を作られたもので埋め尽くし、なまの自然ではなく、作られた物、流通する物との関係のなかでさらに作りつづけるという状況へと行きつく。伊藤徹(いとうとおる)は『柳宗悦　手としての人間』(二〇〇三年)において、「あらゆるものが作ることへと算入されていく」こうした事態のなかで、目的だったものもまた「作る」ことの内部に取り込まれてしまうという。「作る」ことが目的との連関から外されて、それじたいが自己目的化、ひいては無目的化することで、「作ることの伝来の概念が、既に空洞化してしまっている」という。「用」は目的―手段の連関のなかにあるが、「作る」ことの飽和はあらゆるものを手段化することになり、「手段を照らしていた有用性の光は、虚(うつ)ろな光に転じてしまう」。つまり、目的もまた別の何かの手段と化するどころか、手段として機能していたはずのものまで手段という性格を根本のところで失ってしまうのだ。そういう事態を伊藤は「有用性の蝕(しょく)」と呼んだ。有用性のなかで働くものは、その有用性をも食い散らしてしまうというわけだ。

伊藤はいう。素材は本来、「器物を産んだ材料、かたちが現われる場所であると同時に、それ自身さらにより大きな場所、さまざまな個々の場所としての素材をその内で育む、より広い空間に根づいている。〔……〕柳が心惹かれた秋田の五徳は、雪深い冬が強いる囲炉裏端の生活を前提とするものであって、芭蕉布に風が吹き抜ける沖縄には生まれえない。柳のいう「地方」としての自然は、気候・風土なども含む具体的な空間として器物と緊密に連結している」。ところがこの「地方」が、それをはるかに凌駕する市場（現代なら多国籍企業とグローバルな金融市場）の論理にその懐まで切開され、食い潰されて、「地方」の体をなさなくなっている。さらにインターネット環境についていえば、その使用者が装置を操作するその「手元」もまた、伊藤のいう「有用性の蝕」がうつろに揺れるだけの場と化している。

だから、柳のいう「自然」との内的関係の喪失を嘆くのではなく、「内部に測りがたい空洞を抱えた有用性の蝕」のなかにある現代の「作る」と「使う」の状況のただなかで、これをこそ原点として、あらためて「用」の意味を問い質してゆかねばならない。道具との関係、そして使用という関係、つまり「用」には、おそらくは、内へ内へと求心化するだけでなく、〈外〉へと向かって遠心的に開いてゆく途もあるとおもわれるから。

3. 反復と逸脱

「用の美」をめぐって柳宗悦が挙げた特質の一つに《反復性》ということがあった。「量に交らずしては出ない美しさ」である。たとえば絵附。職人たちは日に何百枚と描くなかで、「ほとんど無心にこだわりなく描けるまでに彼らの腕を高めた」。このことを柳は、「筆に十二分の自由を贈った」、「解放を与えた」と言い換えている。用いる人と用いられる物、あるいは作る人と作られる物、そのあいだで人の「伎倆」として、おなじことだが道具の自由として生まれる、工人と道具と材料との関係の内的な成熟であり、「自然」への回帰、もしくは到達である。

柳はたとえば『工藝の道』（一九二八年）のなかで、「美の都へ至る道は二つである」とし、美術（Fine Art）と工芸（Craft）を挙げる。だが「美の標準」は今日まで美術からのみ提示され、工芸のほうはつねに閑却されてきたという。工芸はつねに「不自由な芸術」（die unfreie Kunst）だとか「実際芸術」（the practical art）だとか「応用芸術」（the applied art）とされてきた。そこに「個性の跋扈」を称揚する近代芸術の病があった。このような、「用」から遊離した個性を愛でる「自由の美」に対して、柳は工芸にはもっとたしかな「秩序の美」があるとし、こう高らかに謳った——

今日美術と呼ばれるものは皆 Homo-centric「人間中心」の所産である。だが工藝はさうではない。さうでないがために卑下せられた。併しさうでないが故に讃美される日は来ないであらうか。工藝は之に対し Natura-centric「自然中心」の所産である。

伊藤徹はしかし、そのような「自然」、とりわけ《反復》のなかで成熟してゆくこうした「自然」の（現代における）不可能性のほうに思いをはせる。「用の美」なるものはたしかに、何かの手段としてそれを用いるところで立ち上がってくるものである。しかし、現代では手段として用いられるものはすでに作られたものである。商品が飽和状態にあるともいえる高度成長後のいわゆる消費社会では、熾烈な値下げ競争のなかでたがいを食いあう競争しかありえないから、もはや人びと（＝消費者）の欲しがるものを生産することでは生き延びられない。そこで企業はそういう欲望の対象の生産ではなく、新しい欲望そのものを生産してゆこうとする。これまでだれも思いつきもしなかった新しい機能やモード、つまりは新しいニーズを煽らずには生き残れないからだ。ＣＭが商品の「便利な」機能の説明から商品イメージの提示へと移行してゆくのもこの時期である。こうして市場でうごめく欲望は消費市場のシステムのなかでたえず更新されてゆく。これはいってみれば、「欲望の充足」という消費者のめざすところ、つまりは「目的」そのものが、市場という作られたもののなかでさらに作られてゆくということである。「目的」がそのために作られるもののなかで、その手段へと姿を変えてゆくということである。

「用」を成り立たしめているこの「目的」じたいが、作られたものの飽和のなかで手段化し、「有用性」の光そのものが虚ろな光に転じてゆくと、伊藤はこれを言い換える。すると手段そのものももはや手段としての意味を失ってゆくほかない。そのような事態を伊藤は「作ることの支配」、つまりあらゆるものを操作可能なものとしようという欲望の支配、そしてその過程であらゆるものが手段化してゆく運動と解釈し、そしてそれを「有用性の蝕」として概念的に析出したのであった。

そこで伊藤が注目しようとしたのは、《反復性》の別の道、つまり「有用性の光が遮断された蝕のなかに見えてきている、作ることの別な在り方」であり、「目的が有用なものを照らさなくなったとき現われてくる、作られたものの別なかたち」である。
《反復性》はたしかに柳においても工芸制作における「無心」の一契機としてとらえられていた。職人たちの果てのない反復的作業のなかに、柳もまた「原像を凌駕する働き」を見ようとしていたはずである。だがその働きが「自然」との内的関係へと回収されてゆかざるをえなかったのはなぜなのか。

この理由をあきらかにしようと、伊藤はおなじ時代を並走した北大路魯山人(きたおおじろさんじん)の柳批判を引く。すでに述べたように「用の美」という、工芸の美的規準についての柳の所説に「美」的差別をかぎつけたのはのちの鶴見俊輔であったが、柳の同時代にも柳の「段位」や「格」の違いという、《芸術》的観点からするいわば高踏的な工芸評価に強い異論を唱えた人がいた。その一人が魯山人だ。一九三〇年の暮れ、魯山人は自身が主宰する雑誌「星岡」に「柳宗悦氏の民芸論をひやかすの記」を掲載した。彼はここで、柳は「工芸作家に向かって工芸家として考えるべき道というものを愚劣に独断し、工芸の観念に改心改意を促し」ているが、これはひどい錯誤であって、芸術は理知のなせるわざではないのに、あさはかにも柳は理知をもってそれを完成しようとしていると揶揄(やゆ)する。この揶揄は、「自然」の必然がまさに物のかたちで立ち現われているさまを「美」と呼んだはずなのに、ということは、物を作るというのは「作為」であってはならずむしろ「かたちの出現」を待ち受けることであるはずなのに、柳は依然として工芸を「人の作るもの」として考えている点に向けられた。そしてそこに、柳が「個人作家が無名の工人に徹底的に学ぶべき」であると言うべきところ、最後まで「個人作家が無学な民衆に範を垂れる」という構図からついに逃れられなかった理由があると「ひやかし」たのだ。

その魯山人は戦後になって一九五四年に、南仏のヴァロリスにピカソを訪ねた。そのときピカソがモデルを前にひたすらデッサンをくり返すのを見て理由を尋ねると、ピカソは「いまの若い者はこれをやらぬから、でたらめでいかん」と答えたらしい。そのときの様子を魯山人はこう書く。「こうして、何枚も同じことをやっているうちに、彼は稲荷下げのように発狂してしまうらしい。発狂すると、例のピカソ調の絵になるのだ」。手をひたすら動かしつづけるなかでひとがいわば「憑座」になること、つまりは憑依状態。魯山人が目の当たりにしたこの情景に伊藤は着目する。

これでもかこれでもかとひたすらくり返されるおなじフレーズ、リズム、トーン。そのなかで起こる憑依状態については、わたしなどはつい、山崎正和が『演技する精神』（一九八三年）以来つとに指摘してきた次のような「逆説」に思いが向く。つまり、拍子を反復して刻むのはたしかに「醒めた理性的な行為」であるが、「それを正確に刻めば刻むほど、つまり意識が醒めれば醒めるほど、逆にリズムによって陶酔させられるという逆説」がそこにはあるということである。リズムについていわれるその「逆説」を、伊藤はわが国の口承伝承や、和歌における本歌取り、短歌や俳句における類想句、類型句にことよせつつ、こう述べる。「無心の模倣が文学の大地を豊穣にしたのであって、先行する詩歌を真似しながら、歌人たちは、言葉の祖形を越えて別なかたちを生み出していったのではなかったか」と。さらに伊藤は連句・連歌にもふれ、こんなふうに言っている。

「そのつどの打越・前句・付句の間で、思いもかけない方向へと転ずることもある〔……〕」。「連衆」のなかでは、「三句がらみ」（前二つの句の連関を延長した形で句をつけること）とか「観音びらき」（前々の句へ戻る形で句をつけること）とかが嫌われ、予想外の展開が好まれていた」と。

　伊藤がここで言いたいのは、歌うといってもあらかたは「旧知の歌を口ずさみ、楽しむような共有化の作業」であり、「月並みで凡庸な真似の累積」でしかないのだが、だからまた「創作」というのもその意味では「ごくわずかな波立ち」でしかないのだが、模倣のくり返しのなかで生まれるこの微(かす)かな「波立ち」は、じつは微かな《逸脱》でもあり、それらが寄り集まり、やがて未知の絵柄を描くようにもなるということであろう。

　この「ごくわずかな波立ち」をめぐっては、陶芸家で美術系大学で教員もしている松井利夫がわたしにこんな話をしてくれたことがある。


はじめは、こつこつしたデッサンがどれだけできるかとか、轆轤が一日どれだけ引けるかとか、そういう枠にはまった仕事をきっちりさせなあかんと思うんです。だってこれまで物をロクに取り扱ったことのない学生には、たとえば服作りでパターンを手描きするときの、線を引く音がきれい、なんて絶対に分からない。「いやや、いやや」と言いながらデッサンをやって、寝てるのか起きているのか分からないような状態で石膏像を見ている連中でないと見えん世界というのがやっぱりあるでしょう。別の言い方をすれば、思ったとおりのラインを指で出さなくてはいけないというのがあるんです。あるいは、ここはもうちょっとしゃきっとさせなあかんという。イメージが先にあるんじゃなくて、先に経験がある。この経験に則ってこのラインをもういちど再現するという果てしない作業をくり返しているうちに、ようやっときれいなラインが見えてきて、このラインに沿って歩きたいというふうな形ができあがってくる……

このあと、教育者としての松井はさらにこう続けた。

学生たちにはそれを経験させてやりたいんです。いまの美大生というのは、総合大学の学生よりも「〇〇したい」というその「たい」が薄い。だから授業でも「なんか違う」と思うと、抵抗するよりは消えていく。すっといなくなる。ぼくはこの違和感を膨らしてやりたいんです。でもそのためには、どこかで現実をちゃんと生きてなあかん。でもその生きてる感じがつかめない。ひたすらラインを引くというのはそのために必要なんです。そう、普通の人として違和感がほしい。材料はなんぼでもあげるから、その違和感を勝手に膨らませてもっとぼくを驚かせてほしい、ワクワクさせてほしい。

《反復》が同時に《逸脱》として生成すること。そのことがたとえば美術教育という場ではこんなふうに起こる。彼の所属する大学では「〈自分探し〉禁止」というルールが学生たちに課せられているらしいが、それもまた、単純な反復が人を憑依へと誘うのは「主体の思惑を削り落としていく」ことにほかならないという認識があるからだろう。

だがそれはさらに、作られるものが「原像」から遠ざかってゆくということでもある。伊藤が強調したいのはまさにそこであって、だから《逸脱》は伊藤にあってはまさに「原像を凌駕する働き」なのであった。「原像を凌駕する」というのは、原像の模倣や複製にはとどまらない出来事を惹きおこすということであろう。もはや何かの再現ではない別の〈かたち〉がそれこそ群れのように出現してくるということであろう。

その〈かたち〉を柳宗悦は「絵」ではなく「模様」と呼んだ。「模様」には、「描き方や表現に一種の法が流れていて、描きぶりが一つの型にまで高まっている」。描写や制作のなかからひたすら「無駄」を取り去るうち、その省略のなかにある単純な「要素的なもの」が立ち上がってくる。「模様」の出現である。柳によれば、「絵の反復は要約を求め、要約が模様を招く」のだ。工芸において「用途や材料や工程は、形やその構造を落ちつく所まで落ちつかせ」る。これが「模様化」だとすると、「橘(たちばな)の紋よりもっと橘をはっきりさせることは出来ない。折鶴よりもっと鶴を要約することは出来ない」とすら言える。おなじように、箱や卓や碗なども「角や円や線から組み立てられた一種の模様」とみなすことができる。能の面も文楽の人形も、顔や人の「模様」、つまりはその「結晶された形」と解することができる。それらは「式型に納まった絵」なのである。

同様のことを白洲正子(しらすまさこ)が能について書いている。思想があまりに近いので、その行文も引いておこう。

お能のごく最初には、人の動作をそっくりそのままなるべくよく似せるのが目的でありました。しかしそれでは写実にすぎて美しくはありえません。それを美化することを世阿弥はしたのです。写生をはじめて絵になしえたのです。それから何百年もかかって同じ絵が何千回何万回も描かれていくうちに、ついにこれ以上理想的な表現法はないとまでに定められたのが現在の「能の型」であります。ひとりの人間の力がこれをなしとげたのではありません。時の力が自然に変えていかないかぎり、一個人の考えも及ばぬほどそれは美しく、かつ効果的であるのです。

写生は絵となり、絵はついに模様となったのです。型は美しい模様です。なんべん描かれてもすこしの狂いもない模様です。絵が低下したのではありません。お能が模様に終わるのではありません。その一部一部が独立した絵画ではなくて、模様化したために「お能の絵画」はさらに芸術みを増すのです。

（『お能・老木の花』）

「模様化」はこのように、絵という二次元においても、舞という三次元においても起こる。だがおなじ次元での絵柄や挙措においてのみならず、さらに（描画において対象を立体から平面へと移すことじたいがまさにそういう過程であるのだが）異なる次元のあいだでも、この変換は起こる。それを伊藤は、「一切のものの手段化に伴う非手段化への転回」に探し求め、そこから「作ることの別な地層、ひょっとすると有用性よりも遥か以前の古い地層」へと踏みだした。いいかえると、原像とその模倣の関係よりももっと古い関係、つまりは「操作の外部」にとどまりつつ、「いわばかたちが出現する場所に身を委ねる」ような、「かたちの結実を待ち受ける」という、工芸の《受動》的側面のほうへと入り込んでいった。自然の「内なる響き」をしかと聴くために。

わたしはしかし、反復のなかで起こる《逸脱》には、作ることの内へ潜り込んでゆくのとは異なる、もう一つの途、「用」を遠心的に開いてゆく途があると考える。

4. 器用仕事

反復のなかで起こる《逸脱》。それは、絵柄や模様のレヴェルで起こるだけではない。いいかえると、作ることは対象の変容のみを産みだすわけではない。作ることは作ることのあり方そのものをも変容させずにはおかない。それは作ることそれじたいがある種の《逸脱》を含み、みずからのいとなみそのものをずらせてゆくからである。

作るということには何かの使用がともなう。物を道具として使うこともあれば、その道具を使って別の物や動物を使うこともある。さらにはみずからがじかに作るのではなく、それをだれかに命じてする、つまり言葉で人を動かしたり操ったりすることもある。そしてこの「使用」においてはつねにその人の身体（の使用）があいだに入る。ある物を、あるいはだれかを使うとき、そこには直接の〈使う―使われる〉関係が生じるだけでなく、手で道具を使うとか、口で（ときには顎で）人を使うとかいうぐあいに、身体がつねに介在する。

身体のこの使用もまた〈使う―使われる〉関係とみなせるのかどうかをめぐっては、議論の前提として、まずはI-2「身体の用法」で述べたところを要点にかぎって再確認しておきたい。

論点の核をなしていたのは、身体は人が使用者として使用する対象としてあるのではなくて、使用するという行為のなかで、使用する身体（行動する主体）と使用される対象とが相補的に成り立ってくるということであった。いいかえると、物体としてのわたしたちの存在のなかにさまざまの行動の〈式〉が住み込むようになることで、物体としての人の存在が「わたしの身体」になるということであった。押す、引く、握る、叩く、撫でる、摑む、支える……といった「一般式」が身体のなかに定着してゆくとともに、それがさらに別の「身体の用法」へと更新されてゆく。さらに道具を使えば、それまでできなかったことができるようにもなる。こうした「できる」ことの更新、つまりは新しい習慣の獲得として生成するのが「身体」なのであった。

この生成は、人の感覚や能力の拡張として現われる。杖を使いなれてくると、感覚の臨界は掌や指先から杖の先端へと移行する。衣服を着用しているうち、「わたし」の意識の表面は皮膚から服の表面へと移行する。道具や装備として使用するものが、「わたし」の身体のうちに包含されるようになるのである。が、感覚や能力を拡張してゆくこの過程は、同時に、道具や装備の特性が「わたし」のなかに流れ込んでくる過程でもある。そのことで「わたし」のふるまいや活動の構造も別のかたちへと変貌してゆく。何かを呑み込むことは、その何かに呑み込まれることでもあり、こうした道具や装備との相互侵蝕が、身体においてはたえず起こっている……。以上がⅠ－2で論じたことである。

身体と道具ないしは装備とのこの相互侵蝕のプロセスを一つの型にまで洗練してゆくこと。無駄を取り去って「形やその構造を落ちつく所まで落ちつかせ」ること。それが柳宗悦のいう「模様化」であった。「模様化」とは、その意味で、わたしたちと道具や装備との関係、わたしたちと物との関係の《内的成熟》とでも言いうるものであった。しかしわたしたちがさらに見たいのは、この《内的成熟》がじつは自己の内部へと潜行するものではなくて、むしろ自己の外部へとたえずれゆくもの、自己から《逸脱》してゆくものだというところである。

道具の使用は、人間のある特定の能力を代替し、さらに拡張する。これを裏返せば、人間はその身体のある機能を道具に委ねることによって、その機能をみずから行使することを免除されるということである。具体的に言おう。たとえば手が担ってきた仕事。摘む、摑む、握る、撫でる、触れる、捏ねる、剝く、引っ搔く、割る、切る、掘る……。これらの作業が道具によって代替されることで、手はもはや道具ではなくなる。このことについては、アンドレ・ルロワ゠グーランの『身ぶりと言葉』（一九六四・五年、荒木亨訳）が次のように述べている。ヒトが「加撃器、チョッパー、シカの角などが用いられるようになると、切断する、破砕する、象る、引っ搔く、掘る、などの作業は道具のほうに移り、手は道具であることを止めて原動力になる」。だが、その原動力もやがては、ヒトの手を離れて「外化」（extérioriser）され、「手はプログラム化された手続きを開始する」だけのものになってゆく。そう、動力であることからの解放であり、筋肉の務めとしては言ってみれば「ボタンを押す」だけになる。「手の勝利」はこのように「手の退化」を同時に招くのであって、そこでは身体は「材料を分配する五本指のピンセットか、ボタンを押す人差指」にまで約められる。身体の「技術係数」がどんどん落ちてゆくのである。

おなじように歯の機能も、口から離れ、手や爪との協働を経てさらに道具へと「外化」されてゆく。口は、物を咥えるという「把握」や、切歯で切り、削り、犬歯で刺し、裂き、臼歯で嚙み砕き、すり潰すという「加撃」の機能から解放されて、その任務は食物の咀嚼や嚥下に切り詰められ、そこからあらたに言語活動を担う緻密な器官へと再編制されてゆく。そのことでおなじ（他者への）指示でも、手を用いるより口でのほうが速いし、図示するよりも口述するほうがより正確に伝わるようになる。つまりここで生じているのは、身体機能の再編である。ある身体部位がそれにあてがわれた特定の機能を免除され、そのことで別の新しい機能を担うようになるということである。さらに後代になって、ヒトが、図書、さらにはパンチカード、コンピューターのかたちで、記憶やプログラミングといった大脳の機能を外化しはじめると、その機能をもっと創造的なもの、表現的なものに充当するようになる。もっとも反面これは、外部のシステムがあらゆる行為の回路をあらかじめ準備することで、いやでも想像力の減衰と行動の受動化をうながしもするのだが。

わかりよい話ではある。だが、こうした身体機能の再編を、発展過程として通時的にのみ見るだけでは不十分であろう。というのも、道具はたしかにヒトの特定の身体機能を代替するものではあるにしても、ほんとうにそれが機能的な代替であるかどうかはあやしいからである。工芸という、わたしたちが柳とともに見てきたヒトのいとなみにこと寄せていえば、道具そのものも、別の道具を使って編みだされた、彫りや模様をそなえた「工藝品」でもあったからである。

これを書いている途中、たまたま手にとった本がある。考古学者、関根達人の『モノから見たアイヌ文化史』（二〇一六年）である。たまたまとはいえ、この書物が右の論点について意外ともいえる示唆を与えてくれる。文字資料のないアイヌ文化史、とくに大陸の文化や和人の文化との交流のなかで独自の文化を形成した十三世紀から十八世紀にかけてのそれを、さまざまな遺跡の出土品から解き明かそうとする研究である。アイヌの物質文化を特徴づけるものとして関根が注目するのは、「鉄鍋に加えて、漆器・ガラス玉・蝦夷刀・骨角製狩猟・漁撈（ぎょろう）具」である。「アイヌ文化が成立する一三世紀から一四世紀に出現または急増し、近代まで連続性が認められる」モノたちである。遺跡から出土するものとしては、もちろん碗などの食器や狩猟に用いる銛（もり）や毒矢など「実用的」なものもあるが、関根がアイヌ文化を考えるうえで資料的価値が高いものとして挙げているものの多くは、玉、刀、貨幣、煙管（キセル）などといった装飾品や嗜好用品である。

たとえば刀について言うと、「和人から入手した刀身に、彫刻を施し樹皮を巻きつけた柄（つか）と鞘（さや）を装着し、それに金や銀の金具を取り付けて盛大に飾り立てた太刀」や鈍刀や木刀、真鍮刀など、そこに見られるのは、およそ切ることを念頭に置いているとはおもわれない、つまり武器としての実用的機能をもたないものがほとんどである。それらは「切れ味」よりも「鞘や鍔（つば）、柄といった刀装」を重視するものである。関根の解説によれば、これらは「威信財」もしくは「交換財」とでもいえるもので、当時の社会では、賠償や弁償のために用いられたり、担保や約束手形とされたり、忠誠の徴（しるし）ともなりうる「宝物」であったと推測される。貨幣についても同様のことがいわれる。アイヌの遺跡からは銭貨も数多く見つかるが、その銭貨は簞笥や机の引き出しに付ける金具として用いられたのであって、「装飾品に転用することはあっても、貨幣として使用することはなかった」という。またその装飾品についても、（和人においては奈良時代以降すっかり姿を消した）勾玉（まがたま）や金属製の首飾り（タマサイ）や耳飾り（ニンカリ）がずっと身につけられていたという。

この本の記述で興味深いのは、玉、刀、貨幣、煙管のような装飾品や嗜好用品など、生活のためにどうしてもなくてはならないものではないもの、なくてもよいものが、生活の必需品として用いられていたことである。これは現代のわたしたちが「実用的」ということでいかに狭い用途しか念頭に置いていないかをいわば裏書きしている。「実用的」ということでわたしたちが念頭に置いているのは、生計に役立つということである。実用品とはまずは生活必需品のことである。しかし、用いるというのははたしてこの（何かの目的に手段として）「役立つ」ということに約められるのか。「生計」というものも、生命維持ということに約められるのか。こういう問いがここから導きだされる。

いま一つ立ってくる問いは、「転用」にかかわる。アイヌ文化では、さまざまなモノが別のモノにしばしば転用される。右で見た切れない刀、使われない貨幣も、徴もしくは象徴としては重要な意味をもつと考えられていた。この「転用」の意味を考えること、このことが、「実用」ということに収束させられないモノの制作の意味への問いとともに、わたしたちにとっての懸案である（制作における）《逸脱》という現象を詳(つまび)らかにすることにつながるとおもわれる。

「転用」ということですぐに思い出されるのが、レヴィ＝ストロースが『野生の思考』（一九六二年）のなかで提示したブリコラージュ（bricolage）という作業概念である。この本の訳者である大橋保夫はこれを「器用仕事」と訳す。おなじく玄人や専門家とは異なって「ありあわせの道具材料を用いて自分の手でものを作る人」のことは「器用人(ブリコルール)」（bricoleur）という。レヴィ＝ストロースによると、「ブリコレ bricoler という動詞は、古くは、球技、玉つき、狩猟、馬術に用いられ、ボールがはねかえるとか、犬が迷うとか、馬が障害物をさけて直線からそれるというように、いずれも非本来的な偶発運動を指した」。そこから、本来はそのために作られたのではない、ありあわせの物を寄せ集めて、別の何かを作る仕事がブリコラージュと表現されたわけである。要するに、限られた手持ちのものや使い古しのもの（がらくた）で間に合わせる、それを別の目的ないしは用途に流用する、使い回すことを意味するのである。そしてレヴィ＝ストロースはこう続ける――

> もちあわせの道具や材料は雑多でまとまりがない。なぜなら、「もちあわせ」の内容構成は、目下の計画にも、またいかなる特定の計画にも無関係で、偶然の結果できたものだからである。すなわち、いろいろな機会にストックが更新され増加し、また前にものを作ったり壊したりしたときの残りもので維持されているのである。したがって器用人（ブリコルール）の使うものの集合は、ある一つの計画によって定義されるものではない。〔……〕器用人（ブリコルール）の用いる資材集合は、単に資材性（潜在的有用性）のみによって定義される。器用人（ブリコルール）自身の言い方を借りて言い換えるならば、「まだなにかの役にたつ」という原則によって集められ保存された要素でできている。

だから、器用人がまずとりかかることは「後向きの行為」であるとレヴィ＝ストロースはいう。いままでに集めてもっている道具と材料の全体をふりかえってみて、何があるかをすべて調べ上げ、もしくは調べなおさなければならない。そのつぎには、とりわけ大切なことなのだが、道具材料と一種の対話を交わし、いま与えられている問題に対してこれらの資材が出しうる可能な解答をすべて並べ出してみる。しかるのちその中から採用すべきものを選ぶのである。彼の「宝庫」を構成する雑多なものすべてに尋ねて、それぞれが何の「記号」となりうるかをつかむ。〔……〕この檞（オーク）の木片は縦の板の足りないところを補う埋め木にも使えるし、置物の台にもできる。台に使えば古材の木目や光沢を生かすことができるだろう。埋め木に使う場合、この檞の木片は「面積」になるし、台にすれば「材質」となる。しかしながら、これらの可能性はやはりつねに、材料それぞれ独自の歴史によって、またそのもとの用途のなごり乃至（ないし）はその後の転用からくる変形によって限定されている。

器用人の用いる資材はその資材の歴史に規定されており、それが別の用途に転用される。これは「たまたまここにある」という歴史的偶然性に左右されてある。システムのメカニズムの内部に位置づけられる部品ではなく、状況のなかの断片が作業を規定するのである。そこでは当然、資材も当初の意図から外されて用いられるのであって、システムの内部へと一義的にとりまとめられることはなく、その作業も依然として多義性を保存したままである。つまり、「同じ材料を使って行なうこのたゆまぬ再構成の作業の中では、前には目的であったものがつねにつぎには手段の役にまわされること」になる。

まさに「有用性の蝕」である。「有用性の蝕」は、（伊藤徹が問題にした）テクノロジーの時代のみならず、いつの時代にも、このような《逸脱》というかたちでも起こってきたのである。

5. 転用と借用

器用仕事(ブリコラージュ)は「ありあわせの道具材料を用いて自分の手でものを作る」作業のことであった。これはまず、たまたまそこにあったという、道具としての価値の偶然性である。かならずそれでなければならないという必然性を免れているということである。それは「ありあわせ」(moyens détournés)、「もちあわせ」(moyens du bord)という語に示されているように、たまたま手元にあったものや使い古しのがらくたを取り出してきて、それで間に合わせることであり、そのかぎりで、そこに本来的な使用、正しい使い方というものはない。材料にしても道具にしても、別の何かでもありえたということである。「器用仕事」とは、本来はそのために作られたのではない、ありあわせの物を寄せ集めて「なんとかする」(s'arranger)仕事なのだ。

ここに「器用仕事」についての一つの証言がある――

材料は、あらたに買ってくるのではなく、家にあるもので代用できないかを、まず考えます。無駄に物を消費したくないというか。だから使えそうなものは、普段から取っておきますよ。機械を解体して出るネジなどの部品、コーヒーの缶、伐採した雑木とか。クリーニングに出すと針金ハンガーがついてくるでしょ。あれも、この薫製炉で使っています。ほら、ここ。レンガを固定させるために、周囲をぐるりと巻いているんですよ。

（つばた英子・つばたしゅういち『ききがたり　ときをためる暮らし』、聞き手・水野恵美子）

用いる材料も道具もここでは、「立てられた計画によって一義的に決まるもの」ではなく、「雑多でまとまりがない」（hétéroclites au surplus）ものである。「ありあわせ」の材料、「もちあわせ」の道具は、まさに「目下の計画にも、またいかなる特定の計画にも無関係で、偶然の結果できたもの」であり、「いろいろな機会にストックが更新され増加し、また前にものを作ったり壊したりしたときの残りもので維持されている」。そのかぎりでそれらは不揃いで雑多に混じりあうもの（hétéroclite）なのだが、その使用においてはsurplusという語が示すように、つねにある特定の用途以外にも使えるという意味で、多義的で過剰なものである。つまりその「資材性」（instrumentalité）によって「まだなにかの役に立つ」（ça peut toujours servir）ものとしてある。いってみれば、別の目的ないしは用途のために転用されるのを、つまりは使い回されるのを待っているのだ。

転用とは、特定の材料や道具が、別の配列（arrangement）の下で、別の用途に使われるということである。銃が乗り物の車軸になったり、缶詰の缶が開かれて蔽（おお）いになったりと、ここではある物が、その素材や形姿や機能の類似性をきっかけに、他のものに比喩的に転移させられてゆく。そして、かつてその生産ないしは製作が目的となっていたものが、こんどは別の新たな配列の下で別の目的のための手段となる。

しかし、このことを本来性からの《逸脱》と解することには無理がある。《逸脱》は本来的な使用というものを前提とする。けれども本来的な使用じたいがすでに逸脱としてある。たとえば樹を切り、削って机を製作する。鉄鉱石を燃やして鉄を採取し、それで棒を製作する。土を焼いて仮面を作る。このとき樹木や鉄鉱石や土はもともと、物品として製作されるためにあったわけではない。人間がそれらを「製作」や「使用」という連関のなかへ引きずり込んだのである。そのとき資材となるものは、可能的な使用にいつも開かれている。特定の閉じた生産と製作のシステムの内部に一義的に取り込むには過剰な存在なのである。いいかえるとそれらは、体系のメカニズムの内部に一義的にとりまとめられ、位置づけられた部品なのではなく、「いろいろな出来事の残片や破片」のままでつねに別の組み合わせのなかに引き入れられ、資材として別の用途に供せられる可能性に開かれているということである。

例をあげだすときりがないが、まず素材でいえば、「器用仕事」がとりわけ巧みな西アフリカ社会にみられる内陸原産のヒョウタン。長年この地を調査してきた川田順造は、現地の人たちが、ヒョウタンの多様な形状と性質から、「盥、各種の容器、食器、柄杓、儀礼具、楽器の共鳴胴から浣腸器にいたるまで、軽く手ざわりが柔らかで、どことなくユーモラスで、自然の循環系に入る、環境に優しい器材として」驚くばかりに広汎に使っていると報告している。日本でならさしずめ竹ということになろうか。竹もまた樋（とい）に、柱の一部に、柵に、床に、笛に、人形細工に、容器に、飾りに、茶事の道具に、鮨や菓子の包みに、あるいは花瓶の代わりに、用いられる。

次に製品でいえば、転用がもっとも見やすいのは、子どもの遊びだろう。戦争ごっこ、ちゃんばらごっこでは、鍋がヘルメットや兜になり、反物の幅や長さを測る長短二種類の物差し、これが剣と短刀になる。箒(ほうき)が機関銃になり、筵(むしろ)が鎧(よろい)になり、椅子が塹壕(ざんごう)になる。ままごとでは、枝が箸になり、缶の蓋が皿になり、泥土が餅になる。

さらに素材のでもなく製品のでもなく、技術そのものの転用もある。たとえば伝統的な焼き物のある技術が現在、セラミックの先端的工法に応用されているように、伝統の工業技術をまったく別の領域に転移することで、それまでだれも予測しえなかったような製品を創出する例はおびただしくある。冗談みたいな話で事の真偽はさだかではないが、日本のある下着産業が形状記憶型のブラジャーを開発したとき、米国国防省が桁違いの予算をつぎ込んで開発した戦闘機のシートに使う形状記憶合金の技術をなんと下着の製造に転用するとはと、国防省関係者に地団駄を踏ませたという話を聞いたことがある。あるいは大阪の名物、たこ焼き。これも技術転移から生まれたといわれる。明石で漁業用のセルロイドの浮球を作る鉄板のなかに卵を流し込んで焼いたのが始まりだという説である。そんな転移につぐ転移の例が、技術史には満載だ。

そして最後は、元の形状は変えずに、それをそのまま別のものに見立てる借用という手法。あるものを別のものになぞらえるわざである。そこでは形態上の類似性を手がかりに、物や風景の解釈の文脈が移し替えられる。たとえば富士の形。磯崎新(いそざきあらた)が『見立ての手法』(一九九〇年)で指摘しているところでは、日本における須弥山(しゅみせん)ともいうべき聖山・富士との形状の類似性から、「メタフォアの連鎖」で近江富士が生まれ、豊後富士が生まれる。水前寺公園の庭園では、三角状の築山が富士を模してつくられる。さらにそれを抽象化して、慈照寺銀閣庭園や上賀茂神社の境内に、三角錐の盛砂が置かれる。これがさらに扇面を連想させるところから、末広という幸福の徴ともなる。つまり、「比喩、暗喩、地口、含意、といった言語操作を介して、自然形態（富士山）が抽象化され（三角状突起物）、符号化され（八の字）、転位し（扇面）、縮景され（築山）、シンボル化（末広がり）する」というわけだ。「見立て」とか「見なし」とは、つまるところ、「類似性（アナロジー）を媒介にして、連想（アソシエーション）を喚起し、対象物を分節（アーティキュレイト）していく手法」のことなのだ。遠くの山や木立をみずからの庭の続きと見立てる借景などは、そのもっとも簡便な例であろう。

ここで興味深いのは、こうした転用にも地域文化圏ごとに異なる多様なスタイルがあるということである。川田順造は先に引いたおなじ本のなかで、「ネジの原理」にふれつつ、次のような指摘をおこなっている。畜力、水力、風力など人力以外のエネルギーを利用するときには、「エネルギー源のある点から、それが対象に直接働く点まで、エネルギーを伝達する装置が必要になる」。その例としてあげられるのは、「回転原理を応用した並交や直交の歯車、二つの車輪を結ぶベルトや連結桿（かん）によるエネルギーの伝達、回転運動と往復運動の相互変換などの装置」である。回転原理を応用した道具や装置は、もちろん日本にも古くからあって、「大陸渡来の、石臼（いしうす）、土器成形用の轆轤、水車、足踏みの揚水用竜骨車や手回しの唐箕（とうみ）」などが知られるが、歯車などのエネルギー伝達装置も、「時計、からくりなど、限られた特殊な用途」にだけ充てられ、その利用はごく限られていたという。おなじく回転原理を応用したネジにあっても、「捻錐（ねじきり）」という、円錐形の短いネジが考案され、火縄銃の部品として用いられはしたが、日本ではそれはついに他の領域に応用される汎通的な道具にはならなかった。日本人が「「ネジの原理」を概念として理解し、他の領域にも応用することはついぞなかった。代わりに、鉄砲製作にあっては、たとえばアフリカでは「既製品であるハンドル桿を、形状と特質上の類似からそのまま鉄砲に使っている」のに対し、日本では「銃身も捻錐も、元の火縄銃と同じ形状と特質のものを、自前で新しく作った」のだという。

これにおおよそ符合する現象を、科学哲学者の村田純一が、角山栄の『時計の社会史』（一九八四年）などを参照しつつ、機械時計の伝播（でんぱ）を例にとって考察している。

17世紀から18世紀にかけてヨーロッパから多数の機械時計が中国に輸入された。それらはおもに交易を求めたヨーロッパ人が中国の皇帝に献上品として運んできたものである。当時の中国では必ずしも正確な意味での定時法が普及しておらず、また、時刻を正確に守る習慣もなかったために、機械時計は実際の生活に役立つものとは見なされなかった。にもかかわらず、多数の時計がもち込まれたのは、芸術作品ないし玩具として、おもに宮廷に関係する人々にとっての鑑賞対象になっていたからである。

他方で、同じ時期に日本にも西洋から機械時計が輸入された。しかし日本人の対応はまったく異なっていた。日本では不定時法が使われていたので、西洋の機械時計は役に立たなかったが、日本の職人は、輸入された機械時計にさまざまな工夫を加えて、不定時法で使用可能な機械時計を製作した。いわゆる「和時計」と呼ばれる日本独自の機械時計である。このように、同じような人工物を相手にしても、中国と日本では、まったく異なった「解釈」がなされたのである。

（『技術の哲学』）

ここでは、人工物に込められたそういう「解釈」がそれぞれの文化圏で自明のこととして、まるでブラックボックスのように機能していることに着目しておく必要がある。というのも、「技術的製品が設計され製作された社会・技術ネットワークが安定化し、正常な環境の一部となると、それらがもっていた政治的性質は隠され、沈殿し、暗黙的なものとなる」からである。製品の設計・製作においては、どのような要因を考慮すべきか、何を（たとえば）安全とみなすかという、政治的な価値判断が働きだしており、要するに「設計の原理に関する選択」が問題になっているからである。

そのことを念頭に置いたうえで、わたしたちはあらためて問わねばならない。こうした転用、あるいは借用においてとくに注目すべきことは何か、と。

レヴィ＝ストロースによれば、その一つが、材料や道具、つまりは資材そのものに含まれる歴史性である。資材を別の用途に使うといっても、使用に先だって資材との「対話」が必要だ。「いま与えられている問題に対してこれらの資材が出しうる可能な解答をすべて並べ出してみる。しかるのちその中から採用すべきものを選ぶ」というプロセスである。そのためには、たまたまそこにあったもの全体を見渡し、課題に合うかいろいろに試してみたり、元の用途による制約を再確認したり、それを使うことによる他の資材への影響を調べたりしなければならない。そこには資材そのものがもつ歴史がさまざまに拘束をかけてくる。材料であれば素材の性質を学びなおさなければならないことがある。そのことをつうじて古人の知恵を発見することがある。道具であれば古（いにしえ）の工人の、あるいは使用者のあるこだわりがその構造を深く規定していたことを思い知ることがある。そしてそれが資材の再編制をも規定してくる。そのなかで当初の課題じたいが修正を余儀なくされることもあろう。レヴィ＝ストロースの指摘するように、ここには「現実の中に人間性がある厚みをもって入り込んでくることを容認し、さらにはそれを要求することさえある」。

こうした小手調べは、まさに《手づくり》（fait à la main）の過程である。この状況下でそれが使えるかどうかはまさに手で験（ため）し、測るほかないからである。

物の大きさや長さ、あるいは物との隔たりを測るとき、わたしたちは今日ではあたりまえのようにメートルという単位を念頭に置いて目測している。メートル法は元々は地球の周を理念的に分割することで編みだされた長さの測定法であり、その意味で観念的ではあるのだが、その観念はそれをくりかえし使用するなかでわたしたちの身体に深く住み込んできた。が、テレビ、ヴィデオ、さらにスマートフォンの映像は、指先の操作一つでかんたんに拡大／縮小が可能なために、その操作になじんでゆくうち、物のリアルな、あるいは想像的な大きさや隔たりといったものの見当が鈍ってくる。精度を落としてくる。そういうときにひとがつねに立ち戻るのは、身体のヴォリューム感であろう。じっさい、ひとはかつて、みずからの身体を基にして世界を測定していた。左右に大きく拡げた腕の幅、指先から肘までの長さ、拡げた掌の親指と小指の隔たり。これらを単位に、ものの長さを測ってきた。あるいは、歩数で距離を測っていた。そしてそれらの物差しを未知の対象にも適用することで、世界の認識を想像的に拡張してきた。

その様子を、先の川田順造は次のように描いている。「収穫して脱穀した米が山になって目の前にあるとき、「米がたくさんある」という漠然とした認知が、升で「量る」ことを「謀る」ことで、家族が何か月食べられるとか、売ればいくらになるなど、「はかる」以前には不明だった、米の山のもつ意味が認知され、米の山が新しい意味を帯びた対象として理解されるのだ」（『コトバ・言葉・ことば』二〇〇四年）、と。

リアリティの岩盤はあくまで個々の身体のうちにある。大きさ、長さ、隔たりの感覚は、身体のヴォリューム感にもとづくものだ。結局のところ、ひとはみずからの大きさを物差しとしてしか世界を測れないのだからである。

「器用仕事（ブリコラージュ）」においても、前提となるのは、身のまわりのありふれた物のなかでどれが使えるかの判断である。「使える」というのは、役に立つということ、有用（useful）だということである。ものの使用に際しての「使える」ということの判断というか感触は、それにしてもいったいどこから得られるものなのか。

Ⅲ　使用の過剰──「使える」ということ

1.「使える」ということ

「使える」は「使う」の可能動詞形である、つまり、五段活用の動詞の未然形に助動詞「れる」が付けられ、さらにそれが短縮されて下一段活用の動詞に変化し、「～ができる」という可能の意味になる。例をあげれば、「遊べる」「行ける」「歌える」「動かせる」「売れる」「買える」「書ける」「貸せる」「担げる」「食える」「座れる」「跳べる」「泣ける」「運べる」「積める」「楽しめる」「持てる」「やれる」「笑える」などがそうである。

これらの語のおもしろいところは、これらが行動主体、感覚主体である「わたし」の行動、感覚として生起しているのに、むしろ「わたし」がまみえている、あるいは働きかけようとしている対象を主語としていわれることである。ためしに「これは」という語を前に添えれば、このことはすぐにわかる。「会える」「歩ける」「泳げる」「立てる」というのも、対象が主語になるわけではないが、「いつか」とか「やっと」とか「ここなら」とかを前に添えると、やはり「わたし」の意欲や努力とは別に事態としてきっと成り立つであろうことを表わすといえる。そう、そのように「言える」「とれる」「読める」「思える」のだ。
「見える」「聞こえる」という語は、「見る」「聞く」の語幹に可能の「れる」の古形である「ゆ」を続けたもので、これらにおいても、「わたしは〜を見る／聞く」という主体の活動ではなく、主体に起こることが表わされている。いいかえると、木村敏が『あいだと生命』（二〇一四年）で指摘しているように、「見る」「聞く」という「この過程を生起させている主体から主体の外部にある対象へと向かう方向をとる場合」とは異なり、「その過程が主体内部の場所で生起し、主体はこの過程の座として言い表される場合」とみなせる。可能動詞形ではないが、「思われる」「悔やまれる」「偲ばれる」「感じられる」「見られる」「案じられる」といった、自然とそうなるといった自発の動詞形もそうである。何かを理解できるというのだって、ほんとうは何かが「わかる」と言ったほうが自然だし、何かの匂いを嗅ぐことだって、「わたしが嗅ぐ」と言うより、何かが「匂う」あるいは「薫る」と言ったほうが自然である。「味わう」のもおなじ。「味がする」と言ったほうがなじむ。

何かができるということは、ふつうは、わたしは歌える、わたしは跳べる、わたしは担げる、運べるというふうに、主体の能力のことをいうかのように理解されている。たとえば現象学者のフッサール、彼もまたこの能力性（Vermöglichkeit）を、主体の活動の前提条件として「わたしはできる」（Ich kann）と同一視したのだった。日本語ではむしろ、「わたしには〜ができる」と言うべきところを、である。

この背景には、知覚や経験を、「わたし」という主体と、それが働きかける（あるいは、それに働きかけてくる）対象との関係として考える西洋近代語の伝統がある。能動―受動という関係である。が、古典語、たとえば古代ギリシャ語には、「中動相」とよばれる、能動態でも受動態でもない語形があった。この中動相の名残を近代語のうちでとどめている表現の一つが、非人称主語を使った文であろう。英語の it seems to me that ……、フランス語の il me semble que ……、ドイツ語の es scheint mir dass ……といった（日本語の）「～と思われる／感じられる」に相当する非人称文である。これについて先の木村敏は、これらの非人称文では、「行為主体あるいは表象者としての「私」は完全に主語の地位から滑り落ち、事態の生起する場所（過程の座）を示す「補語」（me, mir）として姿をとどめているにすぎない」と言っている。

いま一つは、再帰動詞による表現である。フランス語の se voir/s'entendre、ドイツ語の sich sehen lassen/sich hören といった「見える／聞こえる」を表わす言い回しにおいては、対象への働きかけとしての能動を自己自身へと折り返すことで、能動でも受動でもない、自己という存在の「中動相」もどきが、働きかけの主体が同時に働きを受ける客体でもあるという二重性においてかろうじて表現される。

おなじように、「使える」も、「わたしが使うことができる」と等置することはできない。右で見たように、「使える」はわたしの「能力」のことをいうのではない。「この辞書はけっこう使える」とか「あの男は使える」とか、さらには（腕が立つという意味で）「彼は刀が使える」とか言われるように、「使える」の主語となるのは「わたし」ではなく、物であり、他者である。

ただ、ここで一つ注意しておくべきことがある。「使える」は、物が、あるいは他の人物が、何かの役に立つこと、何かの用途に利用・活用できることではあるにしても、そこからただちに、それらが道具もしくは材料として使えるということにはならないということである。別の言い方をすれば、「使える」というのは、道具や材料となるモノが備えている「機能」を意味するわけではないということだ。

もういちど言うと、「使える」というのは、役に立つこと、働くことである。しかしそれはモノに備わる機能ではない。工業技術の場合なら、何を作るかという目的がまずはあり、それを実現するための手段として、道具や材料がある。そのときこれらの道具や材料が使えるかどうかは、生産の仕組みが決定する。手段としての適性が、生産のシステム、生産の工程に、適合するかどうかで決まる。これが実用的な道具である。このような道具には、使用目的以外の用途は求められないし、そこから引き出せもしない。それらはシステムの「部品」として「使える」にすぎない。

しかし「使える」には、じつはそれとは別の側面がある。たんに機能主義的ではない道具や材料の使用の仕方である。「部品」としての利用可能性に対する《使用の過剰》とでもいうべきものである。このシステムないしは工程で使えるというだけでなく、このシステムないしは工程以外でも使えるということである。

「これ、何かに使える」とひとはよく口にする。レヴィ＝ストロースの言っていたあの ça peut toujours servir、つまり「まだなにかの役に立つ」である。生産工程のようなテクノロジカルな装置においてではなく、日常生活では、あるいはなんらかの美術制作では、モノは「これ、まだ（あるいはいつか）使えるんじゃないか」といったまなざしで眺められる。とりわけ後者の美術制作では、「これを使うとこんなものも作れるんじゃないか」といったふうに、モノを見つめながら、未知の目的を手さぐりするということが往々にして起こる。「何かに使える」の「何」はいつも未知の地平に開かれているのである。日本語の「役」には、「全体の中で自分が分担している仕事・労役」とか、「公用のための徴用、あるいはその代わりに貨幣で納める税」といった意味があるが、「使える・役に立つ・有用である」（useful）かどうかを決するのはたしかに「全体」であるにしても、その「全体」はいつもどこかでほつけているのであって、閉じたもの、つまりは一義的に完結したものではないということである。

いや、そもそも「部品」としては不完全、不都合なところがあっても、まだ別の何かに使えるとして用いるのが、レヴィ＝ストロースのいうあの「器用仕事（ブリコラージュ）」なのであった。ぴったり合うものがなくてもどうにかするのが「器用仕事」というものだ。「器用仕事」の要となるのは転用と借用（見立て）であった。それは、使用の仕方をずらせることで、《目的―手段》の一義的な連鎖をみずから外すということである。別の用途に転用するというのは、つまり、《目的―手段》の関係を複義的にしてゆくということである。さらには目的が手段を規定するだけではなく、意表をつく手段の組み合わせが未知の目的を構築してゆくということである。

「使える」とは、このように、「何かを使うことができる」という意味で「主体の能力」としてあることでもなければ、「部品としてふさわしい」という意味で「客体（モノ）の機能」としてあることでもない。あえて主体と客体という言葉でいえば、主体と環境との関係を首尾よくマネージできるようモノや他者を適切に配置できているということである。「使える」とは、そういう意味では一つの

《状態》をこそ意味する。現代人はしばしばみずからの「無能力」を時代の徴候とみなしているが、この「無能力」は「できることが減った」という意味ではなく、「使える」という《状態》をみずからの手で準備し、保持する力量が衰えてきているということではないだろうか。何をするにも生産と流通のシステムに全面的に依存せざるをえず、モノを作るにも部品を「買う」というかたちで調達しないと何も始まらないといった状況、要は、みずからの手で「使える」モノの環境を組み立て、ときに転用や借用でやりくりするという、そういう力量の低下ということではないだろうか。この「使える」という《状態》を確保しておかなければ、「わたし」たちの存在そのものが消費されるだけの痩せ細った姿へといずれ転落するほかないだろう。

とすると、ブリコラージュを「器用仕事」と訳したことには存外深い意味が含まれていたのかもしれない。「器用」というのは、臨機応変、どんな場面でもそれに最適なかたちで対処し、まるで軽業のように、状況を(見た目は)容易(たやす)く切り抜けることができるということであろう。目の前の状況とその変容によく耳を凝らし、それを濃(こま)やかに触診し、さらに微細なところまでよく問診しつつ、それを手厚く看る(ケアする)こと。しかもそれをなんのお膳立てもなく、ただ持ち合わせのものをよく調べ、うまく転用や借用もしながら、なんとか状況が課してくる問題に解決をもたらすこと。「これは使える」「彼/彼女は使える」と言うときには、状況に適切に対処するための準備がほぼできているということ、何かを始める条件がほぼ整っているということ、もうその待機状態にいるということを言外に表わしているのではないだろうか。

古代ギリシャ哲学の碩学、田中美知太郎は、『善と必然との間に』(一九五二年)に収められた論考「技術」のなかでこんなふうに言う。――「物指や秤（はかり）で計ることは誰でもできるけれども、目分量や手加減で丁度その量を當てることは、さう誰にでもできることではない」。それは、テクノロジーのように万人共有のマニュアルにしたがって学習できることではなく、「自得」するほかないものだと。

熟練、熟達というふうに、「技」が十分に練れていること、それをひとはよく「腕が上がった」と言う。そういう熟練、熟達は、「肉刺（まめ）や胼胝（たこ）などの肉躰的變化、手足の不揃その他の肉躰器官の畸形」としてもある。ここで重要なのは、そういう一事の極めではない。そういう一事への収斂ではなくて、むしろブリコラージュ、持ち合わせのものでやる拡散やずらしである。融通無碍な転用・借用であり、やりくりである。じっさい、田中の言うように、「あまりに身につき過ぎた技能」は「特殊な環境にのみ適當する肉躰的特徴」と同様――数千年間の厳しい氷河時代の寒さに耐ええたマンモスが、次の温暖化の時代に死滅したのは、「マンモスが特殊な状態に順應し過ぎて、過度に特殊化されてしまつてゐたからである」――、「かへつて取り返しのつかない弱點となる場合がある」。重要なのはだから、状況へのしなやかな対応であり、そのためのモノの使い方の工夫であろう。その意味で、〝臨機応変〟こそ生き延びる技法の肝だと言ってよい。

臨機応変、融通の利く、モノの使用、他者の使用、状況の使用。こういう使用にあっては、使用する者のその存在が、まずはよく使用されねばならない。が、このとき、主体たるわたしにとって身体は道具でも手段でもない。さらに、わたしとわたしが使うモノとの関係は道具的な関係ではない。ここでは、器官と機能との関係を逆転させる必要がある。

これまで何度か確認してきたように、何かをするために器官を使うに先だって、何かを使うなかでそれを担う器官がそれとして生成する。「わたし」は能力のあらかじめの所有者ではなく、使用のくり返しのなかで、使用の「主体」としてたえず自己構成してきたのだ。たとえば、口。口は内蔵の突端、身体上部の開口部として栄養物を摂取する部位であり、また空気が出入りする部位であるが、それ以外にも人間としてのさまざまないとなみが密集している部位でもある。乳児のときはモノを舐め、咥えてその形姿を確認する。唸る、笑う、泣く声が生まれるその部位が、やがて話し、歌い、そして他者を愛撫する部位になる。栄養摂取と呼吸をつかさどるこの部位は、感情の表出の部位であるとともに、さらにやがて語らい、歌唱、性の交歓といったもっとも「人間的」ないとなみを担う部位にもなってゆく。そう、「わたし」の幸不幸が集中する場所へと生成してゆく。ひとはみずからの身体を、「わたし」というかけがえのない存在を成り立たせるものとして所有するよりも先に、それを「人間的」な意味が生成する部位として、さまざまに、つまり多義的に、用いてきたのだ。

手もまた多義的な器官である。手はモノを摑む、持ち上げる、押す、叩く、撫でる器官であるとともに、合図し、信号を送る器官としてもある。が、この多義性はやがて一本の棒を握ることで、さらにその機能を拡張してゆく。モノを担ぐ、ぶら下げる、突く、割る。探るものとして、さらには身を防禦するものとして、つっかえ棒として、回して遊ぶ遊具として。こうして一本の棒もまたさまざまに使い回しできる道具へと生成してゆく……。

このように見てくると、身体こそがもろもろの「器用仕事」の源泉となっていることがわかる。

いくつもの役を並行してこなす、まさに融通の利く器官としての身体が、「器用仕事」を支えている。道具が身体の延長だといわれるときも、こうした多用途がそのまま拡張されるわけで、江戸期の目明かし、岡っ引きの、手元に鉤（かぎ）のある鉄棒も、だから「十手（じって）」と呼ばれた。

使用のなかで、ひとはじぶんたちの身体を道具へと拡張し、さらにその道具を別のさまざまな用途へと転用してゆくなかで、道具を使いこなすだけでなく、その道具でできること、つまりはじぶんたちが目的とすべきものをも拡張してゆく。使い回されるのを待っているもの、別の用途へと転用されるべく待機状態にあるもの、つまりは「使える」ものもまた増え、交替してゆく。

「使える」というのはこのように、いつか何かの役に立つ可能性を蔵しているということである。そういう可能性が生産のシステムや工程に適合するかどうかで判定されるのが、いわゆる実用的な道具である。このような道具には使用目的をはみ出すような用途は求められないし、引き出せもしない。しかし、このような機具や部品といういわば機能主義的な物の使用とは別に、使用には、機具や部品としての利用可能性に対する《使用の過剰》というべきものがある。ここで《使用の過剰》とは、ある道具を酷使して使いものにならなくなる、使い過ぎて用をなさなくなる、という意味ではない。「これ、何かに使える」「これ、いつか使えるんじゃないか」といった思いのなかで使い回す——たとえば転用し、借用する——というケースのことである。そして機具や部品としては不完全なところがあっても、臨機応変、それをどうにかするのがレヴィ＝ストロースのいうところのブリコラージュ（器用仕事）なのであった。

2．反動に応じる

手。それがその肢体のなかで突出して大きな意味をもっているのは、あまた生存する動物のなかでもヒトだけだ。たしかにヒト以外の霊長類やリスなども餌を嚙るときに手を使う。飼い犬は「お手」をする。しかしその手は移動のときは、身体を支える足の役目をする。四足歩行である。が、ヒトはその進化の過程で直立二足歩行を始めたことで、前肢は身体を支える機能を免除されることになった。獲物や子どもを別の場所に移す際にも、それらを咥える必要がなくなった。手で持つことができるようになったからである。前肢が身体の支えと歩行の機能を免除されるとともに、口もまた獲物や子どもを運ぶために咥えるという機能を免除されることになった。

ヒトは古来、他の動物との対比のなかで、他の動物には備わっていない機能という視点から、さまざまに定義されてきた。ホモ・サピエンス（知恵のあるヒト）やホモ・ルーデンス（遊ぶヒト）、ホモ・ファーベル（作るヒト）やホモ・ロクエンス（話すヒト）がそうである。このうち後の二つは、四足歩行の開始と直接にかかわる。直立によって、重量のある脳を支えることができるようになったこともあるが、なによりモノを摑むことができるようになったし、声帯が下降して分節された発声が可能になった。いいかえると、前肢は「手」としてモノを操作し、道具として使う機能を担うことになったし、口は発語の器官として発達した。道具の使用と言語の使用。この二つを基にして、人類の文明が誕生することになった。その意味で、「話すヒト」と並んで、ホモ・ポルターンス（homo portans）、つまり「運ぶヒト」という規定が必要だと、文化人類学者の川田順造は言う（『〈運ぶヒト〉の人類学』、二〇一四年）。

「荷物」。それはヒトだけが持つものだ。衣類や生活資材、調理道具や儀礼用具などさまざまの「荷物」をヒトは持ち、運ぶ。そしてそれらをヒトは手にぶら下げたり、頭に載せたりして運ぶ。道具を使って運ぶこともある。たとえば、肩に棒を渡しその片端もしくは両端に荷重をかけて運ぶ、いわゆる運搬法である。棒の両端を二人で担いで人を乗せる駕籠や、砂利や農産物、肥料などを運ぶ畚担ぎなどもある。これらは「とくに日本で多様かつ繊細に発達した」と川田は言うが、なかでも彼が着目するのは棒の両端に荷を下げる両天秤とよばれる運搬法だ。

日本ではかつてよく、弾力があって撓いやすい長い棒を前後の向きで担ぎ、棒の両端に打った短い竹釘の留め具に長い綱で荷を吊り下げる運搬法が見られた。この担い棒は、硬い棒を左右の方向に肩に載せ、吊り下げた桶が揺れないよう腰のあたりに金属製の輪をとりつけ、桶の取っ手を左右それぞれの手で握る、かつてフランスなどで見られた水運搬用の担い棒「ジュー・デポール」とは違って、きわめて簡素、着脱も自在な「柔構造」の道具である。担ぐ人は「膝を曲げ、腰で調子をとって」運ぶのだが、そのとき「棒の両端の軽く撓う上下動で荷の重みを吸いとらせる」ところに妙味がある。道具そのものの上下動を利用して荷重を軽減する。つまり、道具というモノの反動を巧みに利用しているのである。

おなじような操作は、船を漕ぐときにも見られる。和船に付いている艪。長いものだと五、六メートルあるそうだが、漕ぎ手の腕の運動をじかに伝えるウデとよばれる部分と、水に浸かるミキの部分とからなり、この二つを縄でわざと微かな緩みをもたせて縛り、つなぐ。これによって艪に撓りが生まれる。ミキの先も広く薄く削って、これまた撓うように作ってある。推力を増すその構造が、水のなかでミキが戻る反動をも生む。漕ぎ手は軽く腰を曲げ、膝で調子をとりつつ腰のバネを活用しながら、さらにミキのその反動をも利用して船を前に進めるのである。

　このような和船の艪の構造とその漕法には、次のような特色があると川田は言う（『もうひとつの日本への旅』、二〇〇八年）。——

(1)道具によって、それを使う人間の動きが規定される度合いがきわめて小さく、
(2)着脱自在性が大きく、
(3)装置としては単純な、しかしデリケートな柔構造で、自然の反動力を巧みに利用している

ちなみに和船を漕ぐには、艪のほかに櫂（かい）があり、棹がある。櫂は縄文＝アイヌ文化由来のもので、弥生文化系の艪が進行方向に顔を向けて漕ぐのに対し、漕ぎ手は進行方向に背を向けて漕ぐ。以前、鋸（のこぎり）の使用において「引く」技法と「押す」技法との違いについてやはり川田の考察を引いたことがあるが、その求心性と遠心性との対比がここにもうかがわれる。

　棹は檜の丸太を削って作ったいたってシンプルな漕ぎ棒で、「根の方を下にして斜めに川底に突き立て、上端は胸にあてたまま、船頭が船縁（ふなべり）を舳先（へさき）から艫（とも）へ向かって、つまり船の進行方向とは逆に歩いて船を進める」。この棹遣いは、習得すべきワザ、なかでも棹を川底に突き立てる角度と、

突き立てる頃合いの計り方が相当にむずかしいらしい。艪は漕ぐさばきに大変な熟練を要すとはいえ、「艪の突出部ロウグイが舷側の浅いくぼみイレコから外れないように、艪と舷側を結ぶ細い綱サヤオがピンと張って艪をあやつるコツをのみこめば、あとはそれほどむずかしくない」のに対し、「棹は三年、艪は三月」と言われているくらいだ。道具が簡単な構造であればあるだけ、道具の使いこなしは使う人の巧みさを求める。そしてあらかじめ装置として工夫することをあえてしないところに、「人力を惜しみなく投入する」人間依存型の典型ともいうべき日本の技術文化がある。

川田が道具をめぐってその「柔構造」を指摘したのとほぼおなじことを、宮大工の西岡常一(にしおかつねかず)もまた建築をめぐって述べている。西岡は、法隆寺や薬師寺の解体修理や伽藍(がらん)復興に棟梁(とうりょう)としてあたってきた宮大工として知られるが、彼もまた建築の「軟構造」ということを言う。

飛鳥(あすか)の建物では、壁は間仕切りとしてあるのではなくそれ自体が「立派な構造体」であって、「柱、桁、梁(はり)等、構造部材と一体となって、全体で堂塔を支えている」と言う。細部に目をやれば、屋根からくる荷重を受けたり、軒の垂木を支えるために柱の上に取り付けられるさまざまな組みもの。下から順に皿斗(さらと)、大斗(だいと)、それから人が物を持ち上げるときの肘の形をした肘木(ひじき)や雲肘木、そして雲斗が、上からかかる重量を複雑に分散させ、かつたがいに支え合う。そして屋根の反り。とりわけ法隆寺のそれは、まん中のところがもっとも低くて、大きな円の形に反っており、左右の端のところで反りが急になる。こうした反りが上部の瓦や突きだした屋根の隅などからかかるかなりの荷重をまさに押し返すはたらきをしている。そう、ここでもあの反動力を使うのである。

その工夫について『木に学べ――法隆寺・薬師寺の美』(一九八八年)のなかで西岡が述べると

ころによると、そもそも木は割って使うのでどれ一つとしておなじ形はないし、さらに中央で一寸下がれば隅は二寸下がる、しかもその下がり方は木によって違う、だから「この木は強いとおもうやつは、二寸あげておくやつを一寸五分にするという具合に加減せなならん」ということになる。そしてそのために、飛鳥の大工は「木のクセを読む、木の育った方位に使う」ことをしたという。いくつか言葉を拾うと——

《木にはクセがありますのや。〔……〕この木は右による、これは左によるというふうに。その木のクセを見抜いて、右によるというのは寄らせないように、左に曲がるのはそうならないように、うまく抱き合わせて組みあげていかなあきませんのや》

《揃えてしまうということは、きれいかもしれませんが、無理を強いることですな。木には強いのも弱いのもあります。それをみんな同じように考えている。昔の人は木の強いやつ、弱いやつをちゃんと考えて、それによって形を変え、使う場所を考えていたんです》

《一本一本が木の個性に合わせて仕上げられてますから、ひとつとして同じものはありません。強い木は強く、弱い木は弱いなりにうまく木の質を見抜き、それぞれを使える所に使ってます》

そのうえで、「大工は木と話し合いができねば、大工ではない」という祖父の言葉を引く。そして、木も人間も「互いに歩みよってはじめてものができるんです。それを全部人間のつごうでどうにかしようとしたら、あきませんな」、つまるところ建築は「木の力と工人の知恵の合作」なのだ、と言う。柱一本を作るにも、木の歳を読み、五十年後、百年後にどう反るか、どう捻れるかまで読んで木を使っているのだとも。

そうなると大工仕事もまたまぎれもない《器用仕事》の一つだということになる。その道具使用には、身体の圏域にそれまでなかった偶因的な契機が、操作を超える過剰が、つねに入り込んでいるということである。それがモノからの「促し」を受けるということであり、さらにその反動力を利用しつつ、使用の当初の意図をみずから超え出てゆくことである。もっといえば、使うその木を知りつくすこと、そして作るほうの意図に木がどう応えるか、さらに応えを超えてそれが〈反動力〉をもって何を促してくるか、そしてさらに作る者がそれにどう応じるかということである。そこに作る者の当初の意図を超えたものが現われる。この意味で、西岡もまたこの現象を《使用の過剰》としてとらえたのだった。

さて、船を操舵するときの艪や棹のそれ、物を運ぶときの天秤棒のそれ、さらには寺院建築における木のそれというふうに、道具や材料の〈反動力〉を使うというのは、たんなる反撥とは違う。というか、反撥とはむしろ正反対の原則である。そしてわたしにとっては思いも寄らぬことであったが、たまたま日本の武術関連の書物を垣間見るうち、そこに〈反撥〉を排し、〈反動〉を用いる技倆がみられることを知った。

ただ、武術の心得はわたしにはまったくない。たとえば「摑まずに逆を取り、摑まずに投げる」といわれることがあるが、武術とは、攻撃するよりも防衛すること、「受け」とか「さばき」、つまりはできるだけダメージが少ない仕方で相手に接すること、自力ではなく相手の力をうまく使って相手を倒すこと……といったイメージを漠然と抱いてきたにすぎない。が、甲野善紀、前田英樹、内田樹といった武術家でありながら同時にその技倆をきわめて精密に、かつ文化論的に語る人たちの発言にふれるうち、わたしたちのいう《使用の過剰》と、武術における身のさばきとのあいだに意外ともいえる呼応を見いだすことになった。

　彼らの考えを引くにあたって参照した書籍を先に挙げておく。甲野善紀と前田英樹の往復書簡集『剣の思想』（増補新版、二〇一三年）、前田英樹と安田登（やすだのぼる）（能楽師）の対談『からだで作る〈芸〉の思想――武術と能の対話』（二〇一三年。以下、『〈芸〉の思想』と略す）、甲野善紀と内田樹の対談『身体を通して時代を読む――武術的立場』（二〇〇六年。以下、『武術的立場』と略す）、そして内田樹の『武道的思考』（二〇一〇年）と『修業論』（二〇一三年）である。

　さてその〈反撥〉なのだが、生物の運動の一般法則として、「受け取ったものを送り返す、作用を反作用にして返す」ということがあると、前田英樹は言う。ヒトのふるまいは多かれ少なかれ、基本的には〈反撥〉の原理で成り立っているというのだ。たとえば歩行に際して、体重はそっくり足にかかるわけだが、そのとき「足の裏はその体重をあたかも地面から来る圧力のように捉えて、それを押し返す」。つまり地面を蹴るのである。椅子から立ち上がるときもそう。体をいくぶん後ろに反らせ、戻ろうとするその反撥力を使って椅子を押すようにして立ち上がる。さらに中空に跳び上がるには、まずは屈（かが）んで力を溜め、その反撥力を使ってジャンプする。人に殴りかかるときには、相手がいる位置とは逆方向に腕をたたんで、その反撥で拳（こぶし）を突き出す。さらに剣術でいえば、「刀を縦に真直ぐ振り降ろす場合には、上体を後ろに反らし、横に振る場合には、振る方向の反対側に上体を捻る。あるいは、斬り込む直前にいったん上体をたわめて引く」（『剣の思想』）。反撥力はつまり、ためを作ることによって蓄えられるのである。そして反撥運動を力にするというのは、

「まわりのものを踏みつけたり、押さえたり、力で頑張ってねじ伏せたりする」ことでもある。

スポーツは基本的にこの〈反撥〉の技を磨くものと言っていいだろう。しかもこの作用／反作用の法則をひたすら純化し、それを最大限に効率的に引き出そうとする。いうまでもなく、それが勝負を決する競技だからである。とくに相手と対峙（たいじ）する競技では、征服／屈服ということで決着がつけられる。

これに対して武術のめざすところは、ほかならぬこの反撥力を用いないところ、〈反撥〉原理にもとづく力のこの生物的な回路から脱するところにある。歩行でいえば、「地面を蹴らずにスーッと浮いて流れる」ように、体の軸を移動させる。ある一所で踏ん張らない。動作でいえば、体を捩らない、体のなかにバネを生みだすための支点を作らないということだ。そう、体のあちこちを「絶えず流すように使う」（甲野善紀）ことが重要なのだ。

〈反撥〉の原理を軸とした力の回路は、狩猟と牧畜の文明のなかに深く根を下ろす身体技法だと、前田は言う。これに対して、武術はいわば〈同化〉原理を軸とする身体技法で、農耕文明に根づいているとして、次のように記す――

同化作用による運動の原則は、稲作に発して他のいろいろな暮らしの技に浸透しています。たとえば、私の知るとてもすぐれた大工は、鋸で木材を切る時、左手で木材を、右手で鋸を持ち、少し中腰に立ったまま、ひょいひょいと切ってしまいます。その切断面の見事さには呆れるほかありません。木の繊維は引き締まり、新たに産み出されたような平滑さがそこにある。

使われる鋸の薄さには、また驚かされます。ちょっとでもナマの力で引けば、すぐにパリンと折れてしまうはずです。ではどうすればいいか、この大工は明言していましたが、鋸自体の重さを利用して、それにひたすら従って引くのだと。これは、私が剣の稽古で得た考えと、まったく同じです。

極限まで薄い鋸の刃は、とても軽いもので、鈍感な腕力には重量などないに等しい。その重さを感じ、利用し、一体になって引く。そうすると、鋸の刃は木の内部の、木自身の運動のようになって、木材をふたつにするのでしょう。そういう切り方をする大工の身は、刃の重さに引っ張られるように、刃とひとつになって動く。反動、捻れ、踏ん張り、居着き、そういうものは、すべて消し去らないとできる技ではありません。

（『剣の思想』での前田の書簡）

これを前田は「持っている刀の重みを引き出すからだの使い方」だとも言っている。書簡の宛先、甲野善紀も同様のことを言っていて、「まず、刀があり、その刀の働きを邪魔しないように体を使う、という考え方の許（もと）に、動きが組み立てられている」とする。そしてここに、わたしたちが伝統的な道具使用に見いだした〈反動力〉の活用という視点への大きなヒントが見いだされる。

太刀を使った舞をめぐって、能楽師の安田登はこんな体験を紹介している。

島根で一晩中演じる神楽（かぐら）を見たんです。その中に、太刀を持って数十分舞うという、かなりきつい舞がありまして、本当に最後の方などはつらそうに舞っているんです。その舞い手はちょっと前に世代交替をした若い舞い手で、以前の舞い手のおじさんからお話を伺ったのですが、「おれがやったときは疲れなかった」とおっしゃるんです。で、どうもそれが太刀の問題だというのです。世代交代したときに、太刀も真剣から模擬刀にしたらしく、模擬刀のほうが舞いづらいとか。真剣のほうが重いけれど、真剣をもって舞うと、その重みにひかれて体が舞わされるようなところがあって「全然疲れないんだ」っておっしゃるんですね。

（『〈芸〉の思想』での安田の発言）

安田のこの指摘をうけて、前田は「割り箸とかコヨリとか、ああいう軽いものを振るのが一番難しいんですよ」と言う。刀の重さに中心を置いて振るということ。そして刀を使う者はそれに身をゆだねるようにして動くこと。とすると、道具が軽いときに求められる身のさばきこそもっとも難しいということになる。

これにはわたしにもわずかながら憶えがあって、幼いときに習った書道では、あの軽い筆の動きを自在にするための訓練に重きが置かれた。いや重きが置かれたというより、そればかりくり返し練習させられた。指の操作を禁じて、揃えた人差し指、中指、薬指三本と親指とで筆を直角の向きではさみ、肘を机に水平になるまで上げ、そして横に肩を回して筆を動かす。そして先生は、おなじその筆を、力を入れずに筆に添えたわたしの手の上のところで持って、向かい側から逆向きに字を書いてくださる。そのリズムと速度、力の入れぐあいに、わたしはただただ従うというか、乗るばかりなのである。指先で書くな、上半身全体の動きで、筆の勢い、速さ、力の入れ方・抜き方を憶えよというわけだったのだろう。字体ではなく身体のそうした習いをひたすらくり返すのだった。

　軽いものに身をゆだねて動くということの難しさは、だからわずかなりとも察しがつく。そして筆の動いたあとの墨跡を見ると、横一本、縦一本の線ですらもとくに図ったわけでもないのにうねっている。たとえば「一」なら最初に上方にあった筆先が引き了えたときは下方にきている。前田が長い修業を経てもらす言葉、「稽古は、自分がするというよりも、撓（しない）や木刀が勝手にしてくれるようになってきた」とは較べようもないが、微かなりともその境地は想像できる。「手なれ」や「上達」ということがあって、学びをくり返すうち身体から無用な力が抜けてゆくのだ。楽器演奏などについてもきっとそういうことがいえるのだろう。

　あらかじめ完成形をイメージしてそれに向けてひたすら練習をくり返すというのとは違う学びのあり方である。それは、生身の体に負荷をかけつづけるのではなく――このような練習は身体を酷使するものであるので年をとるごとに重い負担になってゆく――、何かに身をゆだねるという仕方で、身体に新たな運動を呼び込むような練習、身体の運動に新たな次元を開くような習練なのであろう。ちなみに前田は、新陰流剣術における軸移動について、「何に対しても反発しないで全体の動きの流れの中に融け込む」ためにあると言っている。

「何に対しても反発しないで全体の動きの流れの中に融け込む」こと。これに類することが、和船の操舵や天秤棒での運搬においてもたしかに起こっていた。ただし武術には相手がいる。操舵や運搬はモノが相手である。が、そこに共通するのは〈反動力〉の活用ということである。そこで、道具を使うときの〈反動力〉の活用を知るためにも、武術においてそれがもつ意味を語る武術家たちの言葉にいましばし耳を傾けておきたい。

ここに挙げた武術家たちはこぞって、兵法は敵／味方をつくらないと言う。

「兵法は、〈身の自然〉を超えた新たな世界を、我と敵との無窮のはざまに創り上げるものだ。何のために？　我と敵とを、生死の葛藤から根底的に救い上げるために」と、前田はいう（『剣の思想』）。

内田樹は、「武道の稽古は相手を倒し、破壊し、弱めることではなく、相手の身体能力を高め、身体感度を上げ、強くしなやかな動きができることを希求する」（『武道的思考』）という。

これをめぐるもっと生々しい証言も引いておけば、「ぶつかりそうになったら、すっと斜めに入ります。よけるというよりも、入っていくという感じです」と安田はいう（『〈芸〉の思想』）。

内田の言葉はさらに微に入る。

〈甲野〉先生が「入り身」に入る時って、不思議な体感がするるんです。それまでこっちに僕がいて、そちらに先生がいて、そのあいだに一応擬似的ですけれど、「敵対関係」が想定されているわけですが、先生が「近間」に切り込んでくる時って、「敵味方」という二元的関係が一瞬消えるんですよね。「そういうものとは違う次元で、お付き合いしませんか？」というような感じで。

（『武術的立場』から）

「敵対関係」が消えるということの指摘のうちには、「敵」というものについての内田の次のような考えがある。ひとは何らかの不調に陥ったとき、往々にしてそれをこう考える。ひとにはまず標準的ともいえる正常な状態があって、それが「敵」の侵入や妨害によって機能不全に陥っているというのが不調の実態である。だからそういう「敵」を特定し、排除すれば元の正常な状態は回復される……。こういう正常／逸脱という構図のなかでみずからの不調を理解しようとしているひとには、だから「すれ違う人も、触れるものも、すべてが潜在的には敵となる」と、内田はいう（『修業論』）。「すれ違う人は確実に私の選択できる動線を減らしているわけだし、触れるものは確実に私の可動域を狭めているから」だと。要するに、「敵」とは「心身のパフォーマンスを低下させるすべてのファクター」だということになってしまうのである。こうして不調のなかでひとはますますおのれを閉じてゆく。とすると、この自閉をほどいて、もういちど開きなおす習練として武術はあることになる。

〈反動力〉に反撥してはならない。むしろその力を借りて身のさばきの新しい次元を開くこと。〈反動力〉は〈反撥力〉とは異なり、対決ではなくて対話なのである。「双葉山の懐に飛び込んで何とかしようとしても、ぐにゃぐにゃしていて手応えがなく、何もできないまま気がつくと負けていたっていいますね」と安田は語っているが（『〈芸〉の思想』）、それもまたこうした対話の一階梯と考えるべきなのだろう。

3.「はずし」ということ

いうまでもなく、道具とは用いられるものである。何かを作るために、何かを動かすために、それを使って何かをなすために。そしてそのために道具はしかと役立つものでなければならない。役に立たなければ、道具が道具としてあるその存在価値はない。さてその「役に立つ」ということは、すぐに「手段として」と言い足されもするが、手段と道具とは異なる。手段は、ある目的の実現のために用いられるものである。が、すでに見たように、道具の使用はしばしば、目的そのものを変更する。つまり、使ううちに当初の目的からずれてゆくものでもあった。それはたんに手段であるより創造的なことである。そのことをわたしたちは《使用の過剰》と規定したのであった。が、それにしても、そもそも「役に立つ」とはいったいどういう意味で言われるのか。言われてきたのか。

京都のどまん中、四条通を一筋上がったところを東西に走る錦小路(にしきこうじ)に、「京の台所」とでもいわれる錦市場がある。この一角に一五六〇年創業の、庖丁と料理道具を扱う老舗「有次(ありつぐ)」はある。この老舗のルーツを、そして仕事の現場を克明に描きだした著作がある。江弘毅(こうひろき)の『有次と庖丁』（二〇一四年）だ。そのなかで、有次の庖丁を愛用する料理人の言葉にふれ、はっとした。有次のある職人の庖丁でないと「あかん」という一八〇一年創業の懐石料理旅館「近又(きんまた)」の当主（総料理長）が、江のインタビューに答えて語った言葉だ。

言葉としては難しいですけど、無理矢理叩き切ったりはあきません。スムーズに切れる。そういうことは、庖丁が重たい方がやりやすい。ぽんと置いた瞬間に勝手にすっと入って切れてる。軽いと余計な力がいるでしょう。重さのバランスが取れていると、柄とかも感触が違うんです。

はっとしたのは、前節で引いた武術家や能楽師の言葉にじかにつながるからである。武術家は、大工もまた剣遣いとおなじく「鋸自体の重さを利用して、それにひたすら従って引く」のだと語っていた。「重さを感じ、利用し、一体になって引く。〔……〕そういう切り方をする大工の身は、刃の重さに引っ張られるように、刃とひとつになって動く」と。おなじように、能楽師も太刀遣いの例をあげて、「〔模擬刀より〕真剣のほうが重いけれど、真剣をもって舞うと、その重みにひかれて体が舞わされるようなところがあ」って「疲れない」のだと。

ただ、ここで重さとはあくまでそのものの重さであって、秤で計る絶対的重量としての重い、軽いではない。たしかに江の取材に「力を入れなくても庖丁の重さで切れる」ので大きい庖丁のほうがいいと話す割烹(かっぽう)の料理人もいるが、一方で、庖丁には料理人を選ぶというところがあって、蕎麦切りの場合は、初心者にいきなり重めの有次でさせると腱鞘炎で手を傷めたりするので、まずは軽い庖丁から始め、「手が上がって」から有次を持たせるのだと言う蕎麦切り職人もいる。これは能楽師が言っていた太刀の場合は真剣のほうが疲れないという例とは逆なのだが、「手が上がって」からの人にはきっと太刀の場合とおなじことがいえるのだろう。いずれにせよ、「手」が道具にどうみずからの動きを委ね、合わせるかが大事で、だからこそさきの武術家も言っていたように、ものの重みに身をあずけられない「割り箸とかコヨリとか、ああいう軽いものを振るのが一番難しいんですよ」ということにもなるのだろう。そういえば友人のコンテンポラリーダンサー・砂連尾理も、レッスンにティッシュペーパーやほんの僅かの水しか入っていないペットボトルと踊るダンスを採り入れている。

さて、そこでいよいよ庖丁を例に、道具であるということの意味について考えようとおもうのだが、その前にもう一つ別の武術、弓術の例にふれておきたい。というのも、弓術にあっては、弓を引き絞る際の力の籠もりと、そこから軽量の矢を射放つときの力の抜きとが、強い対照をなすからである。

大正十三（一九二四）年に東北帝国大学講師に着任したドイツの哲学者、オイゲン・ヘリゲルは、五年間の滞日中、阿波研造を範士として弓術を学んだ。帰国後、一九三六年にベルリン独日協会で講演したときの原稿 "Die ritterliche Kunst des Bogenschießens"（騎士的な術としての弓）が『日本の弓術』（柴田治三郎訳）の題で翻訳されている。

さてそのヘリゲルは、弓の練習のさなか、阿波範士にくりかえし「術のない術」、つまりは「無術の術」を説かれる。「腕の力で引いてはいけない。心で引くこと、つまり筋肉をすっかり弛めて力を抜いて引くこと」を、である。だがヘリゲルには、どうして筋肉を使わないで弓を引き絞れるのかがわからない。矢を放つために「意志をもって」右手を開く、それがなぜいけないのかが理解できないのだ。師はひたすら「矢がひとりでに離れるまで待っていることを、学ばなければならない」と言う。が、弓を引き絞ったまま立っていると、強い緊張が体を溢れ、無心であろうとしても「もう離れる時だということを、どうしても考えずにはいられ」ない。それを見て師は言う。「あなたは無心になろうと努めている。つまりあなたは故意に無心なのである。それではこれ以上進むはずはない」と。

そんな難行も四年ほど過ぎて、ヘリゲルは、技巧によってではなく「さながら無心のうちに射放つこと」ができたと、ときにおもえるようにはなったが、それでも「精神的にはとうてい達しえないと思われることは技巧的に解決するほか道がない」と思い定めるしかなく、そのことを師に率直に告白する。そのときである。それまでずっと二一メートルばかり離れた藁束（わらたば）に向かって射るばかりだったが、師がはじめて彼に六十メートルほど離れた的に向かって射るよう指示したのである。「的はどうでも構わないから、これまでと同様に射なさい」と。

この指示に対して、中（あ）てるとなれば狙わないわけにはいかないとヘリゲルがなおも抗ったとき、師は強く、「いや、その狙うということがいけない。的のことも、中てることも、その他どんなことも考えてはならない。弓を引いて、矢が離れるまで待っていなさい。他のことはすべて成るがままにしておくのです」と言う。そのとき「矢が中心に在る」はずだというのだ。が、これに対しても、ヘリゲルは「的を狙わずに射中てること」はわたしにはついにできないと返す。

そしてあの有名な場面である。その夜にあらためて家に招かれたヘリゲルの前で、師は二本の矢を持ち、さらに的の前の砂地に一本の編み針のように細長い蚊取り線香を立て、火を灯す。第一の矢はその線香を射中て、第二の矢は第一の矢のその筈に中たる。そして「これは私から出たのでもなければ、私が中てたのでもない」と言い切る。

その日をかぎりに、ヘリゲルは疑うことも問うこともなくなった。師が褒めるか窘めるかですらどうでもよくなって、射ることは「もはや私の手中にあるのではない」と悟る。そして言うのである。——「実に、射られるということがどんな意味か、私は今こそ知ったのである」（Ich wußte ja: ich habe nun erfahren, was es bedeutet, wenn "Es" schießt）。「射る」ではなく「射られる」という境地、弓を引くのでなく弓がおのれを放つ（「それが射る」）という境地である。

ちなみに、"es schießt"（英語では it shoots）は、柴田訳では「それ」がおのれを射るという意味で「離れる」「射られる」と訳されているのだが、師がヘリゲルの射る姿を見て口にした「そう、それだ」（that's it）という日本語としてはありふれた表現を、非人称の「それ」（es/it）と、さらには「自己を超越する「それ」」と、過剰解釈したとの説もあるようだ（山田奨治の英語論文、"The Myth of Zen in the Art of Archery", in: *Japanese Journal of Religious Studies 2001* 参照）。

反撥力を利用するという作為も技巧もなしに、「射られる」こと、ヘリゲルの言葉でいえば「それが射る」こと、つまりただ矢がおのれを放つままにまかせること。的を「射る」ために注ぎ入れられる力を余計なものとしてすべて削ぎ落としたはての「射られる」という、先にわたしたちが「中動相」的ともいった境地である。

弓といえば、チェリストのパブロ・カザルスが、一九七一年、齢九十五になろうかという年の秋にニューヨークの国連本部で「鳥の歌」を弾いたその姿もあるいはそのような境地だったのかもしれない。よろよろとした足どりで舞台に現われたカザルスは、おぼつかない言葉でメッセージを伝え、そして介添えを得てようやく椅子に座ったあと、弓を取り奏ではじめたのだが、その音はのびやかで確かだった。力を抜くというより力を注ぎ入れなくても弓がおのずと旋律を奏でている。まるで、阿波範士の言っていた「無心になること」「我を没すること」「無我の境」そのものであるかのような。

道具について、とくに庖丁について、料理職人はふつうそのような言葉を口にしない。「道」を語ることもない。なぜだろうか。そこに道具が道具であることの意味が潜んでいるようにおもわれるのだが、じつは「芸道」についても「無心になること」を言いつつも、そこにつきない「芸」の境地を語る人がいる。世阿弥を語り、現代の能の名手を語る白洲正子である。白洲は、友枝喜久夫の舞に寄せた「老木の花」で、たしかに「技術を超越したところに現れる不滅の美」を言う。が、白洲正子の議論で気をそそられるのは、むしろ、型をあえて外すということに着目するところである。「軽み(かろみ)」として、「かたち」を極めたはてに生まれる「無心」を論じながら、しかし、そこに完成、つまりは究極の境地を求めるのではなくて、逆にそれを裏切るようなずれの生じる瞬間に注意をうながすところである。

《美をつくし、善をつくした高蒔絵(たかまきえ)の如きは、一見完璧なもののように見えるが、既につくすという言葉の中に、あとにはもう何もないことを示しており、それに反して極度に縮小された茶室とか、荒びた器や焼きものには、何物にも拘束されない自由な天地と、すべてのものを生み出すいのちが秘められていることを語っている。》

彼女が目をとめるのは、融通無碍でありながらぽろっと外れるところ、世阿弥が『至花道』で言っている「闌位事（らんいのこと）」であり「闌けたる位の態（わざ）」である。この「態」についての世阿弥の語りを、白洲はこう敷衍（ふえん）している――

《芸の奥儀を極めたシテが、ときどき異風（変ったかたち）を見せることがあるが、面白いと思って、初心者が安易に模倣してはならない。そもそも「たけたる位」というのは、若年から老年に至るまで、あらゆる稽古をしつくした人間が、稀に演じる非風（悪いかたち）なのである。上手な人は、善いところばかりで、完全無欠な芸だけでは、見物にとって珍しくない。そこへ非風を少しまぜれば、面白く見えるのであって、非風が却って是風（正しいかたち）となる。それを未熟なものが真似ると、もともとしてはいけないことをするのだから、まずい上にまずいことを重ねる結果となり、「焰に薪をそへるが如し」。たくるというのは技ではない。名人上手が鍛錬工夫をしたあげくに到達した「心位」なのである。》

非風をまぜること。これは奇をてらうのとはまったく異なる。「無術の術」をも技巧的に追求しようとしたヘリゲルを窘めた阿波範士もそのことは言っていた。が、意味が違う。「無心」、つまりおのれをひたすら空しうするよう励むのではなく、何かのはずみでぽこっとやってしまうそのことを言っている。「一体」や「無心」ではなく、そこに生まれる一瞬のはずれもしくははずしである。

このはずれ、はずしこそ、わたしたちが「使用」をめぐって探りあてた《使用の過剰》という事態におもわぬ光を当ててくれるのではないだろうか。「一体」や「無心」は、弓術の場合であれば、射手と弓と的との関係のなかでいわれている。それらが射る者の技巧や作為を超えてあたかも隙間なき一つの姿態として成立していること。それは余計なものを削ぎに削いだ捨象のはてにはじめて開ける光景である。しかし、余計なものとして削ぎ落とされるものに、じつは《使用の過剰》を促すものがあるのではないか。道具は鑑賞されるものである前にまずは用いられるものであること。この原点に還れば、使用の光景には使用する者と使用される物との関係へと閉じえないさまざまの契機が含まれているようにおもわれる。

弓の「術」や「道」、演奏の「技術」、能という「芸事」。ここでようやく、これらの極められた「態」ではなく、料理や職人仕事のなかで道具をめぐって起こる「使用」の関係に目を戻すこととなる。道具が道具であることの意味を索めてである。

ちなみに白洲は、おなじ論考のなかで、先の世阿弥の「闌けたる位の態」とからめつつ、茶道の始祖といわれる村田珠光の「たけくらむ」(「闌け暗む」)という表現をふくむ次のような文章を引いてもいる。

《かるゝと云事は、よき道具をもち、其あぢわひをよくしりて、心の下地によりてたけくらみて、後までひへやせてこそ面白くあるべき也》

枯淡の境地とは、初心者にかなうものではなく、道具を使いこなしその味わいを知りつくしてののちに発見するものだというのである。

ここにもうかがわれる道具とのつきあいから、枯淡の境地とは異なるどのような《使用の過剰》が生まれてくるのか。それへの数々の示唆が先の江弘毅の『有次と庖丁』にはある。それを次に見たい。

4. 協業という横のつながり

《使用の過剰》とは何か？ それをあきらかにする作業にとりかかるにあたり、あらためてこれまでの議論をざっとふり返っておきたい。

道具とは役に立つものであり、また実際に役に立たなければならない。が、この「役に立つ」こと、つまりは「用」を生みだす道具製作の過程がことごとく、製造・流通・消費という《目的―手段》の連関の中に埋め込まれてしまうと、目的もまた製作されるものとなる。それはつまり目的そのものの手段化ということであり、そこでは「用」の光は「虚ろな光」に転じてしまう。伊藤徹はこういう事態を「有用性の蝕」と呼んだのであった。

この「有用性の蝕」を超えるものとして柳宗悦が工藝のうちに見たのは、製作過程の《反復性》のなかで生まれる「無心」であり、「量に交ってこそますます冴える〔絵柄や模様の〕美しさ」であった。職人仕事の《反復性》のなかに、いってみれば「自然」に根づいた内的成熟を見る柳に対し、伊藤が着目したのは《反復性》のもつ「原像を凌駕する働き」であった。模倣や複製といった原像のたんなる再現ではない別のかたちが出現し、生成する過程であり、「作る」ことの「有用性よりも遥か以前の古い地層」である。

この《反復性》のうちにはたしかに「原像を凌駕する働き」が認められるにしても、その働きを索めて「有用性よりも遥か以前の古い地層」に立ち返ることは、ふたたび「作る」ことの別の「原像」を索めることになってしまいかねない。そこでわたしは問題はむしろ「凌駕」よりも「逸脱」にあると考え、「作る」ことの偶因性のほうに視線を向けた。そしてありあわせのものを使う器用仕事（ブリコラージュ）や、モノの反動力を利用するなかでモノから促される使用のかたち、あるいは何かのはずみでふとやってしまう外しの契機などに探りを入れてきたのだった。

さてその「逸脱」である。道具の当初の使用目的から逸脱するような使用のかたち、わたしはこれを《使用の過剰》と呼んできたのだが、これには二つの方向があるようにおもわれる。一つは「役に立つ」とか「有用性」とかを軸とする使用の場面からの逸脱（「余技」か「求道」かは別として鑑賞されることへの逸脱）であり、いま一つは別の用途への逸脱である。

前者、つまり「使用」からの逸脱については、これまですでに柳や伊藤の工藝論を論じるなかで見てきたが、ここではそれに、少し別の角度からも光を当てておきたい。この場合の逸脱のトリッキーな側面がより明確に見てとれるからである。

その話というのは、明治生まれの鍛冶の名工、千代鶴是秀（ちよづるこれひで）（本名・加藤廣）の作った切出小刀のことである。切出小刀とは、きわめて単純な構造を持つ刃物の一つで、その形状と用途について、刃物店主・研究家である土田昇（つちだのぼる）の『職人の近代――道具鍛冶千代鶴是秀の変容』（二〇一七年）は次のように書いている――

《〔切出小刀は〕形状的には、やや幅の狭い短冊様の上端を斜めに切り取り、その斜辺を刃先としただけのものであり、使用者はそれを握って刃先部を作用させることで主に木材加工をなすものです。子供が竹とんぼを作ったり、大工が道具整備を含む様々な小細工に用いたり、塗師屋（ぬしや）がヘラ整備や布着せ作業時の布切断に使ったりと、雑用具的な使われ方をします。もちろん、小刀類を主たる道具とする職業もありましょうが、なくてはならぬ木工刃物でありながら、おおむね主役としては扱われない道具として認識されているのだと思います。》

もちろんこれには、身幅や硬さ、斜辺をなす刃通りの角度などにさまざまの変種があるが、構造的にはきわめて単純で、かつまた刃物店で客の目にとまるにしても「その使用意図はかなりおぼろげ」であることが多い。客は「何かには役立ちそうであるから、と、確たる使用目的はないまま手にとり、気に入れば購入する場合がほとんどだ」と、土田は言う。また、「大工が使う鑿のように、木組みの精緻な仕口を工作するための厳しいきまりがあるわけではなく、また鉋のように、鉋刃と、切削治具たる鉋台との精妙な関係性に気を使わねばならないこともないわけですから、切出小刀はその製作者にある種の自由を与えます」とも言う。

土田が是秀の切出小刀にこだわって一冊の本を著したのは、是秀が、「無駄を徹底してはぶいた実用道具の理想をたたきこまれ、実用道具とその使用者が、消耗し、無名性のうちにあわれに消滅してゆく流れの中で、それでもよりよいものを生み出す習性にすべてをかける職人像を嫌というほど見せつけられた鍛冶屋」だとしか考えられなかったからである。土田の問いは、職人中の職人であった是秀が、何ゆえにまるで実用を無視したかのような切出小刀の自在な製作にくりかえし取り組んだのかということにあった。全体を魚のかたちにしたり、刃渡りに月影を刻み込んだり。

道具のいのちは使われることにある。が、使用されるなかで、道具はかならず磨耗し、磨滅し、最後はついに使いものにならなくなる。しかし道具であるかぎり、それは「愛玩」されるためではなく、実際に使われ、やがて消耗することを前提として作られているはずである。道具の使用はその使用が不能となる地点まで行き着くのが定めなのである。しかも「減退し消滅寸前の道具などというものは、それが上等なものであったか否かを判断しにくいまでに、平等にあわれな状態に」ゆきつく。つまるところ、道具が使われて劣化し、やがて消滅に向かうのはしかたがないことなのだ。だが、「道具としての寿命をまっとうする以前に見捨てられ、劣化してゆくことほど、道具製作者にとってやるせない状況もないはず」だと土田は言う。となれば、是秀は、この使用されているという状態、道具とそれを使う者との幸福な関係がやがて消滅する運命にあるがゆえに、その幸福を幸福のままに止めるべく、逆説的にも使用されないものとして創出したのではないか？　そう土田は問う。「道具というものの消えてなくなるあわれな運命をもしかすると身にまとわずにすむかもしれないもの」として、あの切出小刀のとらわれのないかたちを探ったのではないか、と。

とはいえこのことで、だれもが予見できることだが、「洗練とひきかえに日常から遊離した美へと昇華させて」しまわざるをえない。それでもしかし、もはや刃物が刃物でなくなってしまうところまで、切出小刀という雑用具のその形状を突きつめたのは、日露戦争から太平洋戦争まで、道具の用途がことごとく〝戦争のため〟という意味での「実用」に約められたことへの抵抗があったからにちがいない。そういう意味での「流行」から器用に外れたのかもしれない。いや「実用」の意味の縮減以上に、時代の要請が「あまりに魅力を欠いた陳腐なもの」であって、まさにその陳腐さに耐えられなかったからかもしれないと、土田は推量する。

この「使用」からの逸脱とともにわれわれの注意を惹くのが、鍛冶における分業化、つまりは専業化への是秀の反撥である。鍛冶職人として、鍛冶のみならず鍛冶に使う道具や材料、さらには製作した道具の仕立てにまで工夫を凝らした是秀にしてみれば、鉋を、鑿を専門に作る鍛冶屋から、さらに（かつては使用者みずからが製作していた）鉋の台屋や鑿の柄入れのみを請け負う職人の出現には、工人として憂うべきものがあった。だからクセモノ台屋――「面鉋や溝鉋など平鉋とは違った複雑な形状、構造の鉋台だけを手がける台屋」――や、「すぐ使い」、つまり「それを購入した職人が研ぎも台の修正・調整も行わず」すぐに使えるよう道具調整の手間を省いた製品などの出現を、言語道断の思いで見るほかなかったのだろう。使用者が自作するより早く、そしてもっと安く、という商業主義は、明治においてすでに進行していた。

こうした分業体制はじつは徳川期にすでにあるていど成立していたものなのだが、多品種製作をあたりまえとし、さらに製作の全行程をあくまで自分流にという、木工具鍛冶のこだわりは、分業というよりもむしろこの工程の細分化に抵抗を覚える。しかしこれはほんとうにネガティヴにのみ受けとられるべきことがらなのか。分業というよりは協業、巧みの名品というよりは「合作」の妙。そういうものが道具製作における創造性につながることはほんとうにないのか。

職人による道具の製作といえば、ふつう、使いやすさとか堅牢さ、動きの正確とかがチェックされる。つまり、手になじむかとか、酷使に耐えて長持ちするかとか、無駄がないかとかいった特性がまずは問われる。そしていきおい話は、「匠（たくみ）」の一徹、つまり「用」にかなう「形」がぎりぎりまで突きつめられているかというふうに尖ってくる。

しかし、こうした職人たちの製作工程が、じつは「合作」であり「協業」であるということを忘れてはならない。職人の仕事は単独のものではなく、つねに別の職人の仕事とのネットワークのなかでなされてきた。江弘毅の『有次と庖丁』が仔細に描きだすのは、職人の手仕事のそういう横のつながりである。

たとえば注文取引における庖丁の製作についていうなら、料理人から依頼が来てはじめて庖丁屋の仕事は始まる。「有次」の場合だと、まず仕入れを堺の打刃物の産地問屋に依頼する。製造卸のこの問屋が引き受けるのは、鉄を鍛造する鍛冶屋と、そこで鍛造した半製品を研ぎ、磨く刃付け屋と、さらにそれに柄を取り付ける柄屋（えいや）の三つの職をつないで庖丁を作り、そして最後にその産地問屋が銘を切り、柄をつけて出荷する、そういう一連の作業である。そこで編まれるのは、下請けでも孫請けでもない「横請け」といわれる協業のかたちである。ちなみに、堺の職人たちのそのような協業は、鉄砲づくりにおける鉄の銃身、引き金や火蓋のからくり、木製の銃床、銃身に施される象眼や彫金といった装飾などの「合作」の伝統を引きつぐものだと、江は言う。

このような工程を統べる包丁屋が応えようとしているのは、いうまでもなく庖丁を使う料理人だが、庖丁屋はその料理人が使いいいようにという思いやりだけで仕事をしているわけではない。それで野菜を切るのか肉を切るのか、肉でもどの部分を削ぐのかという用途もまたよく頭に入れて、庖丁を作る。そして「近又」の当主の言う「ぽんと置いた瞬間に勝手にすっと入って切れてる」ぐらいの切れ味を追求するのだが、庖丁屋にはしかし同時に、当の料理人がはたしてこの庖丁をどう使い込むか、どう使いこなすか、それが見ものだという挑発的な思いもあきらかにある。

おなじ思いは料理人のほうにもあって、たとえば、おなじく江が取材した東京・赤坂のレストラン「燻（くん）」のシェフ、輿水治比古（こしみずはるひこ）は、道具は「自分たち料理人の技量と情熱によって役に立つもの」であり、「道具が役に立ってくれることはない」と、庖丁屋に対抗するかのように語っている。料理人と庖丁職人とはこのように庖丁一つを挟んでしのぎを削る。そこにあるのは、それぞれの、損得を超えた仕事の突きつめである。

　このような挑発は「横請け」する庖丁作りの職人たちのあいだにも見られるのであって、おなじ道具を作るにあたりどれほどその作業を突きつめているか、つまりはおなじ仕事をするにつけ「いいかげん」や「おざなり」が断じてないと言い切れるか、といった厳しい眼がたがいに言わずもがなのこととして交わされる。ここにもしのぎを削るというかたちで、職人どうしが共有する無言のたしかな「矜持（きょうじ）」がある。ついでにいえば、注文取引ではなく店での販売の場合、作り手も使い手もたがいを知らない。たがいに無名の者として隔たって向きあっている。とはいえ、一回限り、修正がきかずに道具の評価がなされるから、その矜持はよりいっそう厳格になる。

　気を配るのはなにも職人のあいだだけのことではない。いずれの職人も作るにあたって材料となる木や鉄がどのような性質をもっているかを知りつくしていないといけない。ここで奈良の宮大工、西岡常一をいまいちど引けば、道具一つとってもたとえば鋸だと、木の堅さ、軟らかさを調べて「歯の目立て」をしたうえで、繊維を横に断ったり、繊維に沿って切ったりするのだという。そして、切るのでも削るのでもなく「千切ってる」電気の道具はただの「消耗品」だとして、こう言い切る。

削ったものを、雨の中さらしておいたらすぐわかるわ。電気ガンナで削ったものやったら一週間でカビが生えてくるわ。そやけど、ヤリガンナやったらそんなことありませんわ。水がスカッと切れて、はじいてしまいます。〔……〕わたしらの道具は肉体の一部ですわ。道具をものとしては扱いませんわ。

（『木に学べ』）

西岡が言っているのは、「大工は木と話し合いができねば、大工ではない」ということなのだ。話を庖丁に戻せば、おなじように庖丁の作り手は、刃の当たるまな板の性質も、刃を研ぐ砥石（といし）の性質も熟知していなければならない。これまた先に引いた四方田犬彦の『摩滅の賦』によれば、「硬い素材には柔らかい砥石をあてがい、柔らかい素材には硬い砥石をあてがうのが道理」であるが、「鉋から彫刻刀まで、刺身包丁から医療用のメスやカミソリまで、それぞれに合った砥石の種類というものがあり、さらに細かくいえば、包丁の一本一本の個性と研ぐ者の熟達度に応じて、長い時間ののちにようやく使い勝手のいい砥石というものが決まってくる」。「みずから摩滅することを代償として他を摩滅させてゆく希有の道具」たる砥石においても、素材とのこうした対話が道具の〈真〉を決めるのだ。

横のつながりはこのように、職人のあいだの協業というかたちでのみならず、部品間の連なりや素材との対話というかたちでも探求されてきたのである。そしてその一人ひとりに製作にあたってのこだわりがある。譲れないところがある。その衝突、そのせめぎ合いが、一人ひとりの職人の仕事を思いがけない逸脱へといざなう。それがもう一つの逸脱、別の用途への逸脱である。

5. 確かさへの信頼

切出小刀は子どものとき親に買ってもらったのが一つ、いまも机の中にある。ふだん定規を当てて紙を切るには細めのカッターナイフを使っているのでとくに研ぐこともなく、一部錆(さび)も出、刃先も鈍っているが、厚い紙を切ったり太めの鉛筆や木片を削ったりするとき、たまにこの小刀を使う。何かの作業にぴたりと合う道具がないとき、「ああ、あれがあったか」と思い出したように取り出すのである。

ここで思い出すのが先の刃物店主・研究家の言葉。その土田昇は、刃物店に陳列される切出小刀に客が目を止め、購入する場合、「その使用意図はかなりおぼろげ」であることが多いと言っていた。「何かには役立ちそうであるから、と、確たる使用目的はないまま手にとり、気に入れば購入する場合がほとんどだ」と。そこでは、売る側も買う側もともにそれに「弛緩(しかん)した視線」をしか向けていない。そしてこのことが製作者に「ある種の自由」を与え、鍛冶一人ひとりの個性ある創作を可能にするのだと、土田は論を繫いでいったのだが、これにはじつは別の論を繫ぐこともできる。

用途がこれと限定されていないことは、たしかに自由な発想の余地を拡げる。個性の介入する部分を拡げもする。それはしかし、思わぬ局面で思ってもみなかった別の用途に使えるということでもある。何に使えるかとっさにはわからないけれどいつか何かの役に立つかもしれない……というふうに「弛緩」したまま蠢（うごめ）きだす予感は、ではどのように生まれるのか。
もちろんそれは、急場でこれがこんなふうに役立ったという経験がそれぞれに蓄えられているからであろう。だが、おそらくはそれだけではない。この人はこんな場面でこんなふうにこれを使うのか……といった見知りも過去にはいっぱいあったはずだ。

ここでふと思い起こすのが、わが家に出入りしてくださっている職人さんたちの仕事ぶりだ。大工さん、左官屋さん、植木屋さん、襖屋さん、表具屋さん、電気屋さん、水道屋さんと、木造の家のお守りや修繕のために、必要あるごとに入れ替わり立ち替わり家に入ってこられる。長年この建屋の世話をしてきて、その来し方を住まう者よりはるかに正確に憶えていてくれるからだろう、仕事の水準がぐらつかずに安定している。観察するところ、一人の仕事が丁寧だと、以心伝心、異分野の職人さんたちにもそれが感染していって、だれが指示したわけでもないのに佇まいが一定の精度にそろってくる。他の職人さんたちの仕事ぶりを眼にして、じぶんもみっともない仕事はできないという、職人の矜持とでもいうものが立ち上がってくるからにちがいない。

職人のそういう矜持について考えるときにいつも思い出すのが、民俗学者の宮本常一が『庶民の発見』（一九六一年）のなかに記している広島・西条のとある石垣積み工の話だ。

石積みは金を稼ぐためにやっているのだが、冬など川の中でやるときは泣きたいほどきつい仕事で、息子にはとてもやらせたくないと、その工人は言う。とは言いつつも、田舎を歩き田んぼの石垣などを見るともなく見ていると、しばしば見事な石の積み方に心打たれ、だれにしげしげと見られるわけでもないのに「どんなつもりでこんなに心をこめた仕事をしたのだろう」と思うことがあ

ると も言う。

あとから来たものが他の家の田の石垣をつくとき、やっぱり粗末なことはできないものである。まえに仕事に来たものがザツな仕事をしておくと、こちらもついザツな仕事をする。また親方どりの請負仕事なら経費の関係で手をぬくこともあるが、そんな工事をすると大雨の降ったときはくずれはせぬかと夜もねむれぬことがある。やっぱりいい仕事をしておくのがいい。おれのやった仕事が少々の水でくずれるものかという自信が、雨のふるときにはわいてくるものだ。結局いい仕事をしておけば、それは自分ばかりでなく、あとから来るものもその気持をうけついでくれるものだ。

だから、将来おなじ職人の眼にふれたときに恥ずかしくないような仕事をしておきたいというのである。この職人のこだわりはじつに未来の職人に宛てられていたのである。

もちろん、「いい仕事をして人にほめられたときくらいうれしいものはない」。それは認めたうえで、でもやはり「ほめられなくても自分の気のすむような仕事をしたい」とこの工人は思う。この言葉を承けて宮本は、「だれに命令せられるのでもなく、自らが自らに命令することのできる尊さを、この人たちは自分の仕事を通して学びとっているようである」と書きとめた。職人の矜持とは、約めればそういうことなのだろう。

こういうこだわりだけはどうしても譲れないから、職人たちのあいだにはいつも、それぞれの思い入れへの敬意とともに、相互の競いやせめぎ合い、衝突や挑発も、無言のままに起こるのだろう。同業の者、いや未来の同業者にすら、「いいかげん」「おざなり」と見られたら終わりという思いがあるのだろう。そういう意味では、職人の内的な矜持は、損得を超えてそれぞれに仕事を突きつめる、たがいにしのぎを削る、というかたちでの相互の《信頼》として編まれることなくしては保てないともいえよう。

この《信頼》がどういうものかを考えるときに、重要な一つの示唆をあたえてくれるのが、マルティン・ハイデッガーの『芸術作品の根源』(ハイデッガーがみずから最後に校閲したレクラム文庫版、一九六〇年刊)だ。ハイデッガーはまず、道具を物と芸術作品の「中間」に位置づける。道具は物体性に規定されている以上「なかば物」であるが、しかし有用性に規定された「物以上」のものでもある。つまり、人間の手で製作されたものであるかぎりで芸術作品に近い。が、道具は、何かのために用いられる(dienen)、つまり何かの役に立つ(dienlich)という、それじたいとしては外部的な目的や必要によって規定されているかぎりで、物や芸術作品がそなえているような「自己充足性」を欠く。だから道具は物と芸術作品の中間位置にあるとされるのだが、この「自己充足性」の欠如は、いいかえれば人間のそのつどの必要に規定されているということでもあり、そのぶんわたしたちに「親しい」(vertraut)ということでもある。

ハイデッガーは道具という存在を論じるにあたって、「われわれは物と作品とを性急に道具の変種とすることだけは避けなければならない」と釘を刺しているが、考えてみればこれじたいが「性急」な理屈である。だから以下でハイデッガーの議論を引くときも、その点については慎重であらねばならない。

道具が道具であるのはその「有用性」（Dienlicikeit）によってであると、ハイデッガーはいう。彼は農婦の一足の靴をとりあげて——わたしにはこれを道具の一つとしてとりあげることじたいに違和感があり、その理由はのちにはっきりするだろう——、「靴に欠かせないものが何であるかは誰もが知っている」という。靴は履くもので、どんな仕組みになっているかも、畑仕事に用いるかダンスに用いるかに応じて素材や形が違うことも、わたしたちはわざわざ叙述するまでもなくよく知っている。その理由をハイデッガーはこう記す。

農婦が労働にさいして靴のことを考えなければ考えないほど、あるいはそれどころか靴を注視しなければしないほど、あるいはただ感じさえしなければしないほど、それだけ靴はますます真正に靴が〔本来〕それであるところのものとなる。

（『芸術作品の根源』、関口浩訳）

そして、靴のこのなじみ、あるいは親しみの意味をあきらかにしたのが、ヴァン・ゴッホの絵だという。ゴッホが描いた農婦の靴には具体的な背景は描かれておらず、さらにそれがあれば用途もつかめるだろうに土塊すら付着していない。にもかかわらずその絵を眼にしたものは次のようなことをおそらくは見て取ると、ハイデッガーは言う。

この靴のはきふるされた内部の暗い穴から労働の歩みの厳しさがじっとのぞいている。この靴の頑丈な重さのうちには、荒涼と風の吹きすさぶ畑のなかにどこまでも遠く延びる単調なあぜ道を歩む、ゆっくりとした足どりの粘りづよさがたくわえられている。革には土の湿り気と飽和が浸みこんでいる。踵(かかと)の下には、暮れかかる夕暮れの野道を行く淋しさが忍びこんでいる。この靴のうちには、大地の無言の呼び声と、熟れた穀物を贈ってくれる時の大地の静寂と、人気のない休耕時の寒ざむとした畑にみなぎる大地のゆえ知らぬ拒絶とが響いている。嘆きをもらすわけではないが、パンを手に入れることができるだろうかという不安、またもや苦難を切りぬけることができたという言葉にならぬ喜び、出産が近づいた時の心配、死に脅える戦慄が、この靴を通りぬけてゆく。この靴は大地に帰属し、農婦の世界のうちに守られているのである。

（この箇所のみ木田元『ハイデガーの思想』での試訳に拠る）

ぽつんと靴が一つ描かれただけの絵をめぐる叙述としては過剰にすぎると途中で口を挟まずにいられないような文章ではあるが、絵が浮かび上がらせている像を「美〔学〕的」な価値の顕現へと回収しようとはせずに、むしろ用いられるものの親しさを、つまりはそれが埋め込まれている生活世界のなかでもろもろの物が織りなす使用連関を、じかに告げるものとしてとらえるところに、その叙述は向けられている。そしてこの叙述に続け、この守りのなかに生まれる「安らい」（Ruhe）と、その根拠としてそこに浸透する「信頼性」（Verläßlichkeit）こそが、道具を道具たらしめているものだとハイデッガーは言うのである。

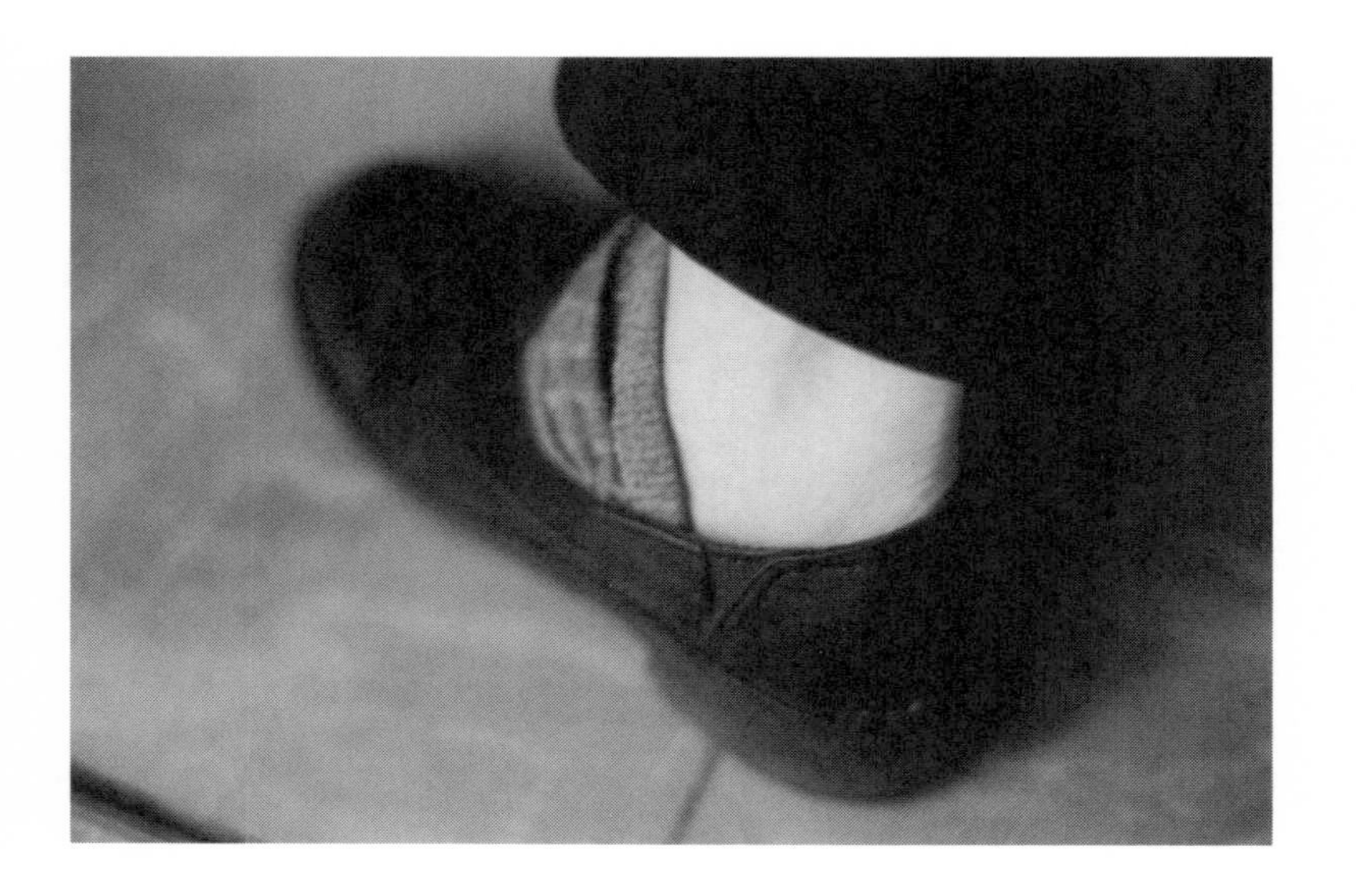

ヴォルフガング・ティルマンス
Verrutschte Socke, 1989

「信頼性」。それは「頼りになる、当てにできる」という意味の形容詞 verläßlich の名詞形であり、さらにこの verläßlich は「頼りにする、当てにする」を意味する再帰動詞 sich verlassen からくる——英語なら count on と言うところだろうか——。この点で、「信頼性」には《頼みとしうること》、ないしは当てにしても大丈夫という《確かさ》の含意が強くある。だから、先の引用文を約めるかのように、ハイデッガーは「この信頼性の力によって農婦はこの道具をとおして大地の寡黙な呼びかけの内に放ち入れられており、またこの道具の信頼性によって彼女は自分の世界を確信するのである」（＊表現の一部をほんの少し変更させていただいた。また傍点も引用者による）と記すのである。

そのうえで、「役に立つ」というのもこの「信頼性」を基盤としてはじめて成り立つと、ハイデッガーは言う。が、ここに一つの逆説が浮上する。道具は使い古され、使いつぶされ、その過程で使うことそのことも磨り減ってたんなる「慣れ」となる。道具はその生き生きとした道具性を磨り減らして「ただの道具」へと堕ちてゆく。道具の道具性には道具性そのものの消失がはじめから内包されているということである。使いものにならぬほど使いつぶした道具からはやがて「信頼性」も消失して、「慣れ」だけが無残な姿を晒すにいたる。ここには「むきだしの有用性」が漂うばかりだとハイデッガーは言うのだが、スーパーマーケットで販売されている大量生産品の道具もまた、新品でありながらおなじく「むきだしの有用性」のみを晒すものとしてあるのだろう。

そして議論は、この道具の道具性の意味が真にあらわになるのはほかならぬ芸術の表現によってであり、ヴァン・ゴッホの絵画は「道具、すなわち一足の農夫靴が真にそれであるものの開示」であって、そこに「真理の生起」という出来事が立ち上がる……と展開してゆくのだが、その途をわたしはここではとらない。これでは、用いられるものとしての靴の像が美術作品として「鑑賞」のうちへとふたたび拉致されかねないからだ。

千代鶴是秀の切出小刀をめぐる議論をいまいちど思い起こそう。道具は用いられるところにいのちがあるのだが、用いられるなかで道具はかならず磨耗し、磨滅し、使いものにならなくなる。道具の使用はその使用がついに不能となる地点まで行き着くのが定めなのであった。そして是秀は、この使用されているという状態、道具とそれを使う者との幸福な関係を幸福なままに止めるべく、逆説的にも使用されないものとしてそれを創出したのだった。この途はハイデッガーの芸術作品論の途といやでも共振する。それらはまた、「使う」ことから「作る」ことへの視座の移行、そして「作る」ことの本質、つまりはその「本来的」なあり方への議論の変換をめがける。けれどもわたしがここで着目したいのは、それらの「非本来的」な使用、つまりは用途からの逸脱や道具の転用といった契機のほうなのだ。

ハイデッガーが「有用性」を成り立たせる基盤として取りだした「信頼性」（Verläßlichkeit）、つまりは《頼みとしうること》、あるいは《確かさ》。それをわたしは、すでに見たような、使う者と作る者のあいだの、そして作る者どうしの、無言の信頼にもとづくものと考える。それがあればこそ、ひとは、身を寄せられるもの、あるいは拠りどころとできるものの《確かさ》に安らうことができるし、またじぶんが生きる場の広がりを実感するようになる。その《確かさ》は、使う人を思いやり、使用にぴったり適う道具製作の正確さを競い、道具として仕上げたあとは使用する者にすべてを託す、そういう職人たちの矜持のネットワークによって支えられているのだ。

道具とはそういう無言の信頼のしるしとしてある。人びとが道具をしばしば「お道具」と呼び、とにもかくにも大事に、丁寧に扱うことを求めるのも、使用者への、そして不在の同業者、さらに未来の同業者への思いがそこに託されているからだろう。それは損得勘定の問題では断じてない。それを使う人たち、それを作る他の人たちとのあいだの「信用」の問題である。いいかえると、売れ行きとか付加価値ばかり斟酌（しんしゃく）する、販売／消費という市場の論理ではなく、人びとの「協働」の厳しさと歓びの問題なのだ。

ずいぶん昔のことになるが、瀬戸内寂聴さんが、ある地方新聞に載った「躾はあって当然」という文章のなかで、こんなことを書いておられた——

> 私の父親は小学四年しか学歴のない職人だった。四、五歳の私が仕事場を通る時、つい道具のカンナやノミをまたいだら、だまってかね尺が飛んできて私の脚を払った。そうされて私は父の仕事は立派なものなのだなと思った。

6. 融通、あるいは「まかない」

《頼みとしうること》ないしは《確かさ》という意味での Verläßlichkeit ということが優れた道具にはあり、それが、おなじ作業の反復のなかで、ある代から後の代へと、密かに、しかし確実に伝承されてきた。たとえば大工の鑿は他のどの大工にも譲れないその人固有のものであるが、その切れ味は、削り具合はしかし、けっして私的なものではない。このことに対応するかのように、かの宮大工、西岡常一も次のような二様の物言いをする。

> 道具ちゅうのは、人それぞれ使い方が違いますのや。わたしにはわたしの使い方ありますし、あの大工にはあの人なりの使い方があります。
>
> 道具も自分だけのものやと考えるのは間違いです。形ひとつにしても今決まったんやない。長い長い間かかって、使うにはこの形がいいと決まったんですから。

まず前者について。西岡は別の箇所で、「大工は木と話し合いができねば、大工ではない」と言っているが、ここでいう「使い方」とは、その「話し合い」のことである。一方には、生来それぞれにクセをもち、また温度や湿気で微妙に変化する資材があり、もう一方には一人ひとりの大工に固有の「腕」というものがある。西岡が例の一つに挙げるのが鉋だ。「〔鉋の〕台は木でできてますやろ。木というのは生きものや。雨の日とか天気の日で、台が狂いますのや。今までみたいにずーっと雨で、カラッと晴れるとカンナが狂う。それをちゃんと直さなあかん」。大工は木のそういうクセ、その言い分を聴き入れつつ、微調整をくり返しながら、道具として使いこなしてゆく。そういう二手からの問いかけと問い返しのくり返しのなかで双方が「歩みよって」ゆく、それが「話し合い」である。

次に後者について。ここで言われているのは、そういう「話し合い」が大工仕事の現場でひたすら反復され、後代に伝えられてゆく、というよりもそれを後続の大工が倣い、盗んでゆく。そのなかで、道具のかたちもおのずから定まってくるということである。行き着くべくして行き着いた道具のかたちがそこにある。ちなみにそれがどれだけもつかも、過去の職人たちの経験の積み重ねのなかでおおよそわかってくる。

さて、この「話し合い」のなかでそのつど浮かび上がってくるのが、その道具によって可能な行為のおおよその範囲である。哲学では「可能性の遊動空間」といわれることがあるが、遊動空間とはドイツ語ではSpielraum、日本語でいえば「あそびの幅」とでも言えばいいか、要するにその道具でもってなしうる行為の「可能域」である。

道具は、たしかに素手ではできないある機能を果たすために製作されるのだが、それはしかし一定機能に限定されたままではなく、なにか別の用途に使えないかとたえず試される。その顕著な例が落語の小道具である。たとえば落語家が手にする扇子、それは箸にもなれば、筆にも刀剣にも釣り竿にもなる。そういえば能芸の評論家、安田武（やすだたけし）もこんなふうに書いていた。「小道具といえば、手拭に扇一本。それで、酒に酔い芸妓と戯れているお客を、お時間いっぱい平場であきさせないのだから、これはどうも大した芸である」（『遊びの論』、一九六八年）。ちなみに落語では、化粧や変装もせずに素顔と声音だけで、男も女も、老いも幼きも演じる。

ある道具でもってなしうる行為の「可能域」はしかし、あらかじめ劃定（かくてい）されたものではない。さまざまに工夫し試すなかで、範囲を拡げたり縮めたりする。だからこそ「あそびの幅」とも言われるのである。じっさい、落語家にみられたように、一つの道具を、元の用途から離れて別のさまざまな用途に使い分けることもできる。

一つの道具でいろいろな目的を果たすことができるのだが、もう一方で、一つの目的をいろいろな道具で果たすこともできる。水を掬うにも、だれかに通信するにも、異なるさまざまの道具や媒体を使ってそれをすることができる。さらにその材質も木や金属からプラスチックまでさまざまでありうる。ちょうど言語学でシニフィアン（意味するもの）とシニフィエ（意味されるもの）の相互過剰ということが言われるように、道具と用途も、一対一対応で連結されているのではなく、相互に当初の機能的な連結をはみ出てゆくものなのだ。

とすれば、職人がある《確かさ》のなかに、つまりは私的ではないあるわざの伝承のなかにいると言うとき、そこには道具の機能的構造や、道具使用者の「腕」のみならず、それでもってできる行為の「可能域」もまた伝承されていることになる。道具製作者と使用者は、まぎれもなく歴史の一定の位相で、過去から伝えられてきたことを更新しつつ仕事をしているのだということになる。ここで更新とは、構造を引き継ぎつつ変換するという動的な過程のことである。

このような構造変換の過程を道具製作と使用の場面に挿し入れるのは、まさに「つくる」と「つかう」（使いこなす）という人のわざである。そしてそれが人に可能なのは、人の身体じたいがそういうかたちで編制されてきたからである。

いまいちど、身体が備える「一般的な式」についてメルロ＝ポンティが語っていたことをふり返れば、そこではまず、わたしたちの身体とその周囲のものとは、たがいに相手を含みあいながら協働して一つの「実践的な系」をかたちづくっているのであった。ひとはその系をおのれの身体活動のなかで「さまざまな運動任務へと変換可能な不変式」として定着させてゆく。たとえば字が書けるようになること、つまり「書く」という〈式〉が手と指と腕との連動として身体に住みつくとき、別の身体部位への転位が可能だという意味で、はじめから「一般的な式」として生まれる。右手で書けるようになった人は左手でも、さらには腰でも、足でも書けるのだ。行動の変奏ともいうべきそうした転位可能性にくわえて、ひとは身体に住みついたその〈式〉を別の〈式〉へと変換し、そのはたらきを拡張してゆくこともできる。自転車に乗れるようになる、自動車を運転できるようになる……というふうに、行動の新しい〈式〉を習慣として獲得する。身体そのものが、引き継ぎつつ変換するというあの更新のプロセスをずっと歩んできたのだ。

この変換の自在さと「可能域」の拡張とは、身体部位でいえば手と口にもっとも特徴的に現われる。手には、押す、引く、突く、曲げる、捻る、引っかく、擦る、撫でる……とさまざまな運動が可能であるし、口は、呼吸する、食べる、話す、歌う、愛撫するなどさまざまな活動の座としてある。この二つは、頸や背中や足にはなしえない多義的な活動をおこなうという点で、身体部位としては抜きんでた地位にある。右でわたしたちは、ひとは一つの道具でいろいろな目的を果たすことができる一方で、一つの目的をいろいろな道具で果たすこともできると述べたが、口も手もさまざまに異なる任務を果たすことができる一方で、たとえば他人に何かを指示するときに口で命じることもできれば手や指で示すこともできる。道具使用における使う側と使われる側の相互過剰というたのである。

事態の原型もまた身体にあるのだ。ただ口がその運動だけでこれらをなすのに対して、手はまわりにある物を道具として製作し、そのはたらきをその構造もろともみずからの「実践的な系」のなかに組み入れてゆく。その意味で、道具はしばしば「手の延長」とも「肉体の突端」とも言われてきたのである。

ハイデッガーが道具を論じるときにヴァン・ゴッホの絵にある靴をその典型として挙げたことへのわたしの違和感も、そこに理由がある。靴のはたらきは多義性に乏しく、また履く者と靴のあいだで相互過剰という動的過程を発動させることもない。霜山徳爾が言葉を連ねていたように（『人間の限界』、一九七五年）たとえ「手の自由は直立歩行における足の負担によって購なわれたもの」だとしても、さらに人の苦労や苦難の痕、「足摺りの人生」における焦燥や迷いの跡がそこに刻まれているとともに、人の「実存」（ex-sistere ＝外に-立つ、つまり歩み出る）の基盤ともなっているという、人の悲哀と信頼の徴として足があるにしても、それでも足に装着される靴に道具の本質が集約されているとは言いがたい。

さて、使用する者と使用される物とのこの相互過剰、そこにみられる人の「可能域」の更新と拡張こそ、先に提示したままになっている《使用の過剰》の第二のかたち、つまり（使用の場面からの逸脱とは異なる）別の用途への逸脱を誘いだすものである。

この、別の用途への逸脱をめぐっても、西岡は味のある語りを披瀝している。

この飛鳥型ののみは使い途があるんでっせ。〔……〕飛鳥型ののみの根元に、曲がった柄をつ

> けましたら手斧（ちょうな）の代わりに使えますのや。のみを斧の代わりに使いよったん。これひとつとっても今の大工みたいに下手じゃないんです。ひとつの道具でいろいろ使いよる。今の大工は下手やから、いろんな道具がないと仕事できへん。道具多く持ってるやつほど下手や。

三つのことがここで言われている。よい道具は使いでがあること。いろいろな用途に転用がきくこと。だから巧みな職人は少ない道具でこなせること。

ぴったり合うものがなくてもとりあえずあり合わせのもので凌ぐことを「やりくり」とか「工面」と言い、何かに転用したり、何かで間に合わせること、つまりちょっとした知恵と工夫をこらしてその場その場に即した適切な対応や処理ができることを「融通がきく」と言うが、これはレヴィ=ストロースによってブリコラージュと呼ばれたものに相当する。ブリコラージュは日本語で「器用仕事」と訳されてきたが、「器用」とはまさにこの「融通」をきかして「やりくり」ないしは「工面」をすることであろう。

その代表ともいえる一つに「まかない」がある。「賄（まかな）う」を辞書で引けば、「限られた範囲内の人手・費用などで、用を達する」こととある（『新明解国語事典』第七版）。ありあわせの物をとりあえずやりくりして用意を調える、という意味である。支度をする、きりもりするというポジティヴな意味にもなれば、逆に、体裁を整える、取り繕うというネガティヴな意味にもなる。ちなみに『岩波古語辞典』を繙（ひもと）くと、マカは「任」の意、ナヒは「行」の意で、「事を相手の性質や意向に合わせて差配し用意する」とある。賄い料理がまさにその典型であろう。

「まかない」において重要なのは、既成のマニュアルやレシピとは異なる思考回路が蠢きだすこと。あるものが既知の用途とそのための操作、つまりやマニュアルもしくはレシピをはみ出して、別のものとして機能しはじめるということである。

これはじつは人間にかぎらず、哺乳類、さらには節足動物にも見られる現象で、メルロ＝ポンティが『行動の構造』のなかで「トレンデレンブルクの実験」として引いている例がそうである。

適当な大脳領域が部分的に切除されて、右脚ではエサをつかむことができなくなった動物は、その代理をしていた左脚を切ってしまうと、ふたたび右脚を使うようになる。たとえこのとき右脚を支配する中枢を切除しても、状況が緊急な仕方で強要するとき、たとえば食物が檻の外にあるというときには、いぜん右脚を使うことができる。〔……何かある予備的な装置を生体内に想定するよりも〕神経支配はそのつど〈状況〉そのものによって規制されて全く新しく配分されるという仮説のほうが、その現象の様相にはるかによく合致する。

ある器官の機能を別の器官の機能で代替させる、この、行動のなかに生じた破綻を繕ってゆくプロセスを生理学では「代償行為」（Ersatzleistungen）と言うらしいが、ここで代用としてはたらくものは、ありあわせの限定された資材で想定もしない課題に柔軟に対応しようとする「まかない」に通じるものである。システム化された既存の対応を構造的には別の対応の仕方へと切り換える、その可塑的な措置が、既定のものからの逸脱として発生する。ここでは生体の対応に一定の基盤的なシステムが備わっているからこそ、そこからの逸脱も起こるわけだが、しかし、逸脱はそもそもその基盤のなかにあったとすればどうだろう。ときに突然変異のような非連続の「飛躍」をも含めて、そうした代用、転用、補塡、変換のプロセスがつねにあったから、基盤となるシステムもそれとして形成されてきたのだとしたら。

いま目の前で起こっていることが未知のもの、想像すらしたことがないもので、それが何を意味するのかわからないときに、わからないままそれに正確に対応できるかどうかは、人が生き延びるうえでまさに死活のことである。マニュアルやレシピに記載されていない事態を前にして、わたしがいまここで必要とするのはどのような資材であり、どのような行動なのか、それはその場ですぐに突きとめられるものではない。それでも「やりくり」や「まかない」というかたちで当座を凌ぐことができるのは、あのブリコラージュの知恵、つまり「これはいつか何かの役に立つかもしれない」（Ça peut toujours servir）と取っておいたありあわせのもので間に合わせる「腕」が、完全とは言えないまでも身についていたからだろう。その「腕」を磨くために不断に手入れと手直しを怠らなかったからであろう。

役に立たない道具はもはや道具ではない。道具はその有用性によって、ただの物ではなくほかならぬ道具である。しかし、あらかじめ定められた有用性に沿って作られてあるというのが道具の存在を支えるのではない。「これはいつか何かの役に立つかもしれない」という潜勢的な判断力とそれに見合う「腕」こそが、道具を道具として活かす。道具は使われるなかで生きる。あるいは育ってゆく。

これまでわたしたちは、「つかふ」ということが、使用する者と使用されるモノとの単方向の関係を大きくはみ出るようなふるまいの土壌をもつことを見てきた。この土壌はつねに逸脱を孕み、過剰を含む。あるいは、孕み、含むというよりは、逸脱や過剰をその本質とすると言ったほうがいいかもしれない。「つかふ」の展開は、プログレス（progress）、つまり前方へと歩むこと（ラテン語ではprogressus）という意味での「前進」や「進歩」というよりもむしろ、トランスグレッション（transgression）、つまり踏み越えること、跨ぎ越すこと（transgressus）という意味での「逸脱」や「違反」をこそその本質とするのではないかということである。

そこで次章では、モノの使用の場面を大きくはみ出るような、「つかふ」ということの意味の広がりをあらためて確かめることにしたい。

Ⅳ 「つかふ」の諸相（スケッチ）

1. 遣ふ

本稿のはじめのほうで見たように、「つかふ」には、何かを道具として、あるいは手段として「使ふ」こととともに、「仕ふ」という、みずからがだれかの道具もしくは手段としてはたらくという逆方向の意味がある。相手の意向を重んじ、それに従うこと、その人が倒れないようにそばで支えるということ。これが「仕え」（＝「支え」）である。

そして「つかふ」の第三の表記、それが「遣ふ」である。だれかを「遣はす」と他動詞として用いるときは、「遣る」ともいう。

だれかをじぶんの代わりとして先方に遣る、つまり「名代」を送る。つまり、この者の言うことはわたし自身の思いとして受け取ってもらいたいというのである。「名代」、これは英語でいうと mission ないしは missionary にあたるのだろう。使命、任務であり、使者、使節である。ちなみにミッションのみならずミサイル（missile）も、おなじラテン語の動詞 mittere（送る、投げる）に由来する。使者を意味するメッセンジャー（messenger）もそう。

メッセンジャーはいうまでもなくメッセージ（message）を伝える人、通達する人を意味するが、中世英語でいう「伝言を運ぶ人」messager という語に、口調をなめらかにするため n を挿入して messenger となったとされる。

メッセージが福音という意味をもつのもまさにそうで、それは神の「愛の賜物」（donum caritatis）を人びとに伝えることにほかならない。ミッションは、現代の語感では、「わたしに課せられた任務」のことであろうが、それは元はといえば「わたしが（神の）代わりにどうしても伝えなければならないこと」を意味したのである。ひととして生きるのにもっとも大事なもの、ミッション・スクールはまさにそれを教え、伝える場所である。ミッションという語を日本語に導入したとき、それを「使命」と訳したのも、なかなかに意味深長であった。じぶんのもっとも大事なもの、それなしにわたしが存在しえないもの、つまりは「命（いのち）」を「使わす」（遣わす、つまりだれかの許（もと）に送る）というのだから。それは、絶対にゆるがせにできないもの、ないがしろにできないものをだれかに伝えさせるということであった。

「名代」にはそれほどの重い意味がこもっていた。みずからの命の代わりとしてだれかを差しだすという重い意味である。「名代」とは文字どおり「身代わり」であったのだ（「身代わり」という語は、いうまでもなく、生け贄（にえ）や犠牲といった「捧げ物」にも通じる）。

だれかをみずからの「名代」として、「使節」として、別のだれかの許に送ることを、日本語では「派遣」と言ってきた。「派遣」という語には、もともとそういう重い意味が色濃く漂っていた。ところがその「派遣」という語が、現代では、「代わりを送る」という意味だけのそっけない用い方をされる。いうまでもなくその典型が「派遣社員」であり「派遣労働」だ。元はといえば、この人でなければ務まらぬ「仕事人」を送り込むことであるはずなのに、それが現在では、雇用調整のしやすい「代替要員」のような意味で用いられる。この人はあの人の「名代」であるという代替不可能性、つまりは「代理」という含みはほとんど抜け落ちて。だれにでもできるわけではない、まさに特殊な専門的訓練を前提とする特定任務（秘書・通訳・事務用機器操作など）という意味がこれまで一部では認められてきたにしても、それすら二〇一五年六月時点での労働者派遣法の改正案では風前の灯となっている。

ここでいう二つの「代わり」のかたち、それをわたしはいま〈代替〉と〈代理〉という語で示したのだが、これは「パート」という語の二つの意味に対応させることができる。「パート」は、分断された断片という意味での「部分」と同時に、あてがわれた一定の「役割」をも意味する。「パートタイム」というのが前者の典型で、ここでは業務は組織的に分割されていて、それぞれの業務は単純労働であって、これといった特殊な訓練を必要としないし、期待されてもいない。パートタイムの業務にあっては、そもそも業務の「全体」――「部分」の対項――に気を配ることは無用だし、だから協働も協働の工夫もそこでは求められない。組織内で分担しておこなう仕事であるかぎり、まぎれもなく協働であるはずなのに――優れた「仕事人」は特殊業務も、あるいは単純業務ですら、一人では回らぬことを熟知している――、雇用者はそれを「部分」に分割可能なものと考える。一方、労働者にあっては、特殊技能を前提としない労働なので、いつじぶんの雇用が切られるかという不安を拭えない。

ところが、「パート」にはもう一つ、これとは別の意味、というよりはむしろ対立する意味がある。「部分」ではない「持ち分」という意味である。ここでは各人はみずからが果たすべき役割（パート）を、それが揺れ動く全体のなかでどういう意味をもっているかをつねに意識しつつ演じなければならない。さまざまのパートからなる合奏団も、登山隊というパーティも、政党というパーティも、ともにそれぞれ持ち場の配分が重要な意味をもつ集団である。

この対比は次のようにも表現できる。それは、パーティション（partition）というかたちでの「パート」と、パーティシペーション（participation）というかたちでの「パート」との対比である。パーティションは、空間の仕切りという意味にみられるように、まさに分割・分断を意味するが、パーティシペーションは逆に協働しての参加を意味する。まさに役割分担であり、各人のミッションはそれが全体のなかで占める位置によって規定される。ある役を引き受けるという意味でのパート・テイキング、それぞれがそれぞれのパートを引き受けて成り立つ組曲（partita）、というのがその典型例である。後者はあくまで全体がネットワークとして編まれており、いずれかのパートがうまく機能しないときは、（パートタイム労働におけるように）その担い手を切り捨てるのではなく、それを他のパートがサポートするという動き方をする。そこでは「おまえの代わりなんかいくらでもいる」といった〈代替〉可能性ではなく、「あなたができなくてもだれかが代わりにやってくれるよ」といった〈代理〉可能性がそのつど機能するよう設計されている。

そのちょうど中間に位置するのが、「身の代」というものであろう。それは一方で字義どおり「身代わり」を意味するとともに、他方で「身代金」として金銭に換算できるものとしてある。「身の代」というときに「代」はもちろん「代わり」ということではあるのだが、元をただせばそれは、「糊代（のりしろ）」「綴じ代」という語にもあるように、なにか別のもののために取っておく場ないしは空間を意味していたのである。

そこで、〈代替〉ではなく〈代理〉の意味での「身の代」なのだが、それはまさに身体の代わり、つまりはだれかの身体の一部になる、だれかの身体機能の一部を肩代わりするということであろう。「使い走り」といえば他人の脚になることである。「手が足りない」「救いの手を差しのべる」というときの「手」である。子育てや介護など、世話をする者とされる者との関係がいわば二人っきりの閉回路になって行き詰まるほかないとき、「ちょっとの時間、代わってほしい」という痛切な声に応えられる手がそばにあれば、どれほど救われることか。

話し手、聞き手、働き手というふうに、「手」はよく人を表わす。「手を貸す」「手が足りない」というときの「手」はとくに支援する力の意味でいわれる。「手伝い」「手当て」「手ほどき」というときには、相手の身になり、尽くす様子がよく出ている。「手数」「手間」「手応え」「手厚い」「手堅い」というときにも、何かを一つ一つていねいに、真心を込めて取り扱うさまがよく表われている。人をだいじに育てるときには「手塩にかける」とか「手をかける」とかいう。逆に、あることをないがしろにしたり、いいかげんな扱いをするときには、「手控え」「手抜き」「手ぬかり」「手落ち」「手加減」「手軽」「手ぬるい」などという。それほどに「手」は重要な意味をもつ。

救われるのはしかし、助けの手を差しのべられる人だけではない。助ける人、つまり手になる人、そう、使われる人もまた救われる。「おまえの代わりなんかいくらでもいる」「それをするのは別にあなたでなくてもいい」ではなく、「これはおまえにしかできない」「これを託せるのはおまえしかいない」と言われるとき、ひとはじぶんが「ここにいる理由（レゾン・デートル）」を見いだすことができる。〈代替〉ではなく〈代理〉として、である。ここでは、子どもが生まれてはじめて「おつかい」を頼まれるときの誇らしげな顔をつい想像してみたくなる。だれかに宛てにされているという歓びである。その返礼のしるしとして、大人からもらう「お小遣い」。「手になってくれてありがとう」という言葉にはきっと、「使ってくれてありがとう」という言葉が反照しているはずだ。

「頼む」というのも、だれかに力（＝手）を貸してくれるよう申し入れることだが、ここには「いざという時に期待に応えてくれると信じて、その力を当てにする」という含意がある（『新明解国語辞典』第七版）。とくにこの場合には「恃（たの）む」と書き表わす。ちなみに古語では「たのむ」に「一身を託す」という意味もある。「主人と仰ぐ」ことも「たのむ」と言った。その意味でも、だれかに恃まれる歓びは、だれかに使われる歓びでもある。

子どもが「おつかい」を頼まれて大いばりになるのは、そういう頼〔恃〕みの相手としてじぶんが選ばれたからである。恃むに足る存在として承認されたからである。ここで「頼〔恃〕み」は「選び」に通じている。ほかならぬこのわたしが選ばれるという経験は、ひとに矜持（きょうじ）を与える。ひとはだれかに、頼むに値する者として選ばれることで、そういう者として承認されることで、みずからの存在理由（レゾン・デートル）を手にする。

しかしそこには同時に、落とし穴がある。じぶんが選ばれたということを、ひとは、じぶんがそれをするに値する存在であるから、つまりは優れているからと勘違いしがちだからだ。これはしかし「選抜」「選別」をいうのであって、恃まれるという意味での「選ばれ」ではない。「選別」は優劣の差で人を分けること、そしてそこに待遇の差をつけることをいう。先にmissionという意味で「使命」にふれたが、「使命」にあたる英語がもう一つある。callingである。「天職」と訳されることもあるが、それをするべく（神に）このわたしが選ばれ、呼び出されているという感覚である。この感覚が、「選良」としてわたしが呼び出された、承認されたと勘違いするというのが、「選ばれ」に隠された落とし穴なのである。こんなちっぽけなわたしにも声をかけてくれる人がいると控えめにそれを受けとめるのでなく、呼びかけや促しを過大に受けとめて、じぶんを選抜された人間（選良＝エリート）と思い違えるのである。

いうまでもなくこれは、けっして安住の場所ではない。「選抜」「選別」というかたちでの選ばれは、いつ選ばれなくなるかという不安と底を通じているからである。その意味での「選ぶ／選ばれる」という関係は、じぶんがある条件を満たしているかぎりで選ばれるという関係であるから、一つ間違えばそのじぶんが別のだれかに置き換えられるという不安を拭い去ることはできない。「選ぶ／選ばれる」という関係に入ることは、選ばれるじぶんは選ばれないこともありうるということ、そういう場所に立つことである。「人を選ぶ」という態度は、結果としてみずからを「人に選ばれる」存在に貶めてしまう。そのかぎりで選ばれない存在に転落する不安に、ひとは最後まで苛まれる。代わりのきかない〈代理〉ではなく、あの〈代替〉という置き換え可能な関係のなかに落ち込むのである。

とすれば、人にとって重要なのは「選抜」でも「選別」でもない「選ばれ」のなかに入るということであろう。ここで肝に銘じておくべきことは、だれと出会うかを、ひとはみずから選ぶことができないということである。出会いは往々にして、だれかに不意に選ばれることから始まる。思いもよらぬ人に恋心を打ち明けられたり、見知らぬ認知症の人に息子／娘として（つまり受けとめ手として）選ばれるというかたちで。このときひとは、〈代替〉のきかない特異（singular）な存在として選ばれている。「選抜・選別」することを放棄することで、「選ぶ／選ばれる」という関係のなかにありながら「選抜・選別」されるのではない、そういう「選ばれ」があることが、そこから見えてくる。

自身もかつて「精神障害」で苦しんだ人が、「精神障害」に苦しむ青年たちを集めてゴミ処理や配送の仕事をする会社を興した。会社がうまく回りだすとこの経営者は知らぬまにあたりまえのように効率を優先して考え、人を選抜するようになった。そのことへの気づきが彼の歩みを止めた。彼はこう考えたのである――

私は考えました。そして気づいたのは、私は〔……〕人を選ぶということにひどくいい加減な人間になってしまっていた、ということだったのです。

かつての私は、どうでもよい些細な事柄でまわりの人間を峻別しては、嫌ったり嫌われたりして人間関係をこじらせてしまうのが得意でした。その私が「選ぶ」という行為を放棄してぼんやりしてしまっていたのです。それは無意識のうちに、人生でどんな人と出会うかは、じつは選べそうで選べないことだと思うようになった自分と出会うことでした。これは、なかなか愉快なことでした。

（小山直「「浦河で生きる」ということ」『べてるの家の「非」援助論』所収）

2. 飼う　その一

ひとは長らく動物とともに生きてきた。いいかえると、ひとはさまざまな動物を飼ってきた。その飼い方は二つある。一つは、家畜として。一つはペットとして。前者はひとが使用するものであり、後者はひとが愛玩するものである、とさしあたって言うこともできよう。だが、事はそうかんたんには割り切れない。

ひとは牛を飼い、馬を飼う。それらを家畜として飼うのは、農作業において、あるいは物を運搬するときに、人力の代わりをさせるためである。飼うとは、人力の代替物として使用することである。それだけではない。ひとはそれらを潰して喰い、みずからの栄養源とする。さらには「食品」という商品として流通させもする。豚や鶏は人力の代替というよりもむしろ、こちらの部類に入るだろう。その意味で、家畜はひとにとって、用益的な価値、生命的な価値、経済的な価値を併せもつものであると、これまたさしあたっては言うことができよう。だが、ほんとうのところ、家畜はそうした三重の価値に還元できるのだろうか。還元されてきたのだろうか。

こうした問いにいやでも向き合わざるをえない事態が、二〇一一年三月に発生した。東日本大震災にともなう東京電力福島第一原発事故である。家畜たちにとって、飼い主たちにとって、それは、引き返しのできない、あまりに悲惨な事件であった。

事故後およそ四〇日経って、四月二二日に災害対策基本法の規定に基づいて「警戒区域」が設定され、牧場主たちは自身の土地でありながら立ち入りができなくなった。「警戒区域」に指定された地域には当時、牛が約三五〇〇頭、豚がおよそ三万頭、鶏がおよそ四四万羽、飼われていたという。立ち入りが禁止されて、毎日餌やりを欠かせぬ飼い主たちはどうしたか？　以下の記述は、事実関係については、概ね眞並恭介（しんなみきょうすけ）の『牛と土――福島、3・11その後。』（二〇一五年、集英社）に依ることをお断りしておきたい。ちなみに眞並は毎日新聞大阪本社の特約記者を長らく務めた編集者であり、ドッグ・セラピーを取材した『セラピードッグの子守歌――認知症患者と犬たちの3500日』（二〇一一年、講談社）という著作もある。

事故後、牛たちが生き延びられるよう畜舎から放牧場に放って土地を離れた飼い主がいた。近所に迷惑をかけないよう畜舎につないだまま避難所に向かった飼い主もいた。すぐに戻れるだろうと思って着の身着のまま避難した牧場主たちもいれば、避難したあと、家族を避難所に置いて牛舎に引き返した人たちもいた。そして遠く離れた避難所から毎日、餌を与えに通う人たちが少なからずいた。

事故後およそ二ヶ月。この時点ですでに牛や豚が折り重なって餓死し、蛆（うじ）と蠅が大量発生している畜舎が数多く見られた。家畜たちの屍骸は枯れ野のあちこちに横たわり、腐乱する一方で、放れ牛たちが群れをなして駆け回り、ときに事故現場に出入りする車両と衝突して無残に転がる光景も見られた。やがてこれらの放れ牛たちは野生化して、人が近づくのも危なくなる。

五月一二日。ついに、警戒区域内に生存している家畜についてはその所有者の同意を得て、「当該家畜に苦痛を与えない方法」、つまりは「安楽死」によって処分せよとの指示が、原子力災害対策本部から出た。そして、当初そこには、「死亡家畜に対して敷地内での消石灰散布とブルーシート被覆のみで、移動や埋却は禁止する」という指示も含まれていた。家畜が放射性廃棄物扱いされ、埋却も許されないというのは、農家にはとうてい受け容れがたいものだった。

ここでまず、肉牛の生涯について眞並の記述に沿って書きとめておくと、「一般的な家畜市場への子牛の出荷月齢は八〜一〇ヵ月。雌も出荷され、一部は子牛を産ませる繁殖用として、それ以外は去勢子牛と同じく肥育素牛として取引される。肥育素牛はさらに、肥育農家や大規模な肥育場で一八〜二〇ヵ月間ほど肥育されたのち、食肉市場に出荷される。つまり普通は、誕生後二六〜三〇ヵ月齢で〝牛肉〟となり、人の口に入ることになる」。

その生涯が原発事故で大きく狂わされたのである。牛たちは被曝し、少なくとも「商品」としての価値を失ってしまった。「商品」として使いものにならないから、そして万一その肉が流通すれば人に危険が及ぶから、殺処分せよとの指示が国から出されたのである。これに先行して、三月二一日には福島県産原乳の出荷制限指示が出ていた。酪農家は以後、毎日、乳を搾っては廃棄せざるをえなくなった。まるでシジフォスが強いられたのとおなじ不条理な作業である。それに牛の被曝は増す一方だし、これから先、売れないままに餌代はかかる。手間もかかる。そんななかで、泣く泣く殺処分に同意する家族もいれば、同意するかどうかで言い争い、疲れ果てて力尽きて「もはやこれまで」と判子をついた家族もいた。

そんななかでいやでも向きあうしかなくなったのが、牛たちは経済的価値がなくなったら存在理由はなくなるのか、という問いだった。それへの答えが見いだせないかぎり、じぶんたちのやっていることにも意味が見いだせないのであった。

眞並はある飼い主の言葉を引いている。——「警戒区域に生存している牛は、家畜でもない、野生動物でもない、ペットでもない、実験動物でもない、動物園や水族館にいるような展示動物でもない。これらのどれにも属していない牛は、家畜すなわち産業動物としての前途も断たれています」。「家畜すなわち産業動物」とここで飼い主は言い切っている。とは言いながらも、徹夜で出産を見守り、ひ弱な子牛にはみずからミルクを与え、温めてやった飼い主にとって、おのれの牛が「産業動物」であると割り切ることなどできようはずもない。じっさい彼らが放たれた牛たちに餌をやりに入ったときも、「牛たちがぐるりと囲んで、鼻面や頭、横腹や尻を押しつけてくる。生まれて日の浅い子牛も、さすってもらおうと負けずに割り込んできた」。だからこそ、家畜＝産業動物としての価値を失った牛たちが、それでも生きてゆく意味、それでも彼らを飼うことの意味への問いが一つに合わさって飼育者たちの胸を抉ったのだ。「なんの意味もなく殺されること」があってはならない、と。

みずからの牛舎が福島県双葉郡の帰還困難区域に指定された飼い主たちが、「飼う」ことそれじたいを封印されたなかで、「被曝した牛が生きていく意味」を問いつづけ、その果てでかろうじて一条の光にふれたのは、「牛がいれば、人間がいなくても、田んぼや畑が荒れ地になるのを防ぐことができる。農地を農地のままに保つことができる」ということを発見したときだった。牛にそれぞれの農地で順繰りに草をはませることで、農地の荒廃を防げるということを、牛みずからが証明してくれたのだった。「牛は大自然を舞台に、自ら生きていく意味を大地の言葉で語った」。

眞並は言う。「牛の胃が大地と同じような働きをしているのである。いわば牛の体内にもうひとつの大地があるのだ」、と。そしてそのことの意味をこう解説する――

牛は牧草や野草の生草、乾草、稲ワラなどの植物を摂取する草食性の反芻動物であり、体内に四つの胃をもつ。そのうち、人間の胃に相当するのは胃液を分泌する第四胃であるが、なんといっても成牛で胃の総体積の約八〇%を占める第一胃に特徴がある。ルーメンと呼ばれる第一胃は、哺乳類の消化酵素では消化されない植物を、セルロース分解菌などの微生物によって分解する。ルーメンには細菌や原生動物などの微生物が多数生息し、巨大な発酵槽を形成している。牛が食べるものは、牛の餌であるとともにルーメン微生物の餌なのだ。

ルーメンには微生物群が生きるのに適した環境が整っており、微生物との共生関係は、土壌と微生物との関係に似ている。土があらゆる生物を養うように、ルーメンは微生物を生かし、その働きによって体内栄養素を代謝し、成長と増体、乳成分の合成を可能にする。

こうして牛は、草を大量の肉と乳に変身させる。わずかな栄養価しかない草から豊富な栄養とエネルギーを獲得する、そのシステムは驚異的だというほかない。

牛は一日の大半を咀嚼と反芻をくり返しつつ過ごす。草をはみ、それを、牛の内なる大地ともいうべきルーメンのなかで大いなる栄養価をもつ肉と乳へと変換する。その牛が排泄した糞は、やがて堆肥となって土に還り、草を育てる……。これが「牛の牛たる仕事」だというのである。とすればここに、肉用牛としての価値を失っても、「役牛」として生きつづける大きな意味がある。

それともう一つ、牛のそういう「仕事」は放射性物資の除染にもつながる。牛が汚染された草を食べるとその区域の土壌のセシウム濃度は低下する。牛が移動して排泄した区域ではセシウム濃度は上昇する。牛たちの体内を通過させてのこの移動を利用すれば、「循環型」の除染も可能だと農家の人たちは考えた。

そう考えたのは、被曝した牛にそれでも「牛の牛たる仕事」をさせたかったからである。ある飼い主は言う。「おれは、屠畜場に行く牛をかわいそうだと思ったことはない。母牛から生まれた子牛が育って一人前になり、普通の肉牛なら三〇ヵ月の命を全うできて幸せだな、と思いながら送り出してやりますよ」、と。別の飼い主は、もし牛が一生を全うできずに死んだらこうしてやるとも言う。「穴掘ってただ埋めるんじゃなくて、ワラとか草とかいっぱい敷いてやって、お布団のようにかぶせて、弁当持っていけって言うの。ワラだの草だのたっぷり入れてやって、あっちさ行って食べものに不自由しないように、弁当持ってけなって。ひもじい思いをしなくてすむように……」。

牛が「牛の牛たる仕事」をして牛としての一生を全うする。そうしてはじめて食われる牛が牛としてうかばれる？

ここでわたしは、纐纈あや監督のドキュメンタリー映画『ある精肉店のはなし』（二〇一三年）を思い出す。屠畜を生業とする人たちは、およそ二年、牛たちを手間をかけて大事に育てる。あやし、体を撫で、毛をしょっちゅう梳いてやる。そのなかでもちろん情が行き来する。だから屠畜場では、牛を殺すとは言わない。鶏や魚を殺すとは言わずに「しめる」と言うように、牛も「わる」と言う。その「わる」作業とその周辺がくわしく写されている。

牛小屋から屠場へ一頭の牛を連れてゆく。それを見送るおかみさんの後ろ姿に、牛を誇らしげにおもう気持ちとともに、「いのちを全うする」まで途中事故なくという祈りが映しだされている。すべての作業は、素手で、そして沈黙のなかでなされる。弄びは許されようもない。技術の戯れもここには微塵もない。一つまちがうと大けがをするそんな作業、だれ一人欠けても成り立たぬ作業が、家族全員の緊密な連携のなかで、精密に、黙々と進められる。そこに余分なものは一つもない。いや、もっとも必要なものだけに縮減されたいとなみである。牛の体も、何一つ無駄にしない。内臓も脂も煮こごりや油カスになり、皮は丹念になめされて太鼓に生まれ変わる。その後には、大勢の家族のまかない料理を準備する家族がいる……。

それほど緻密な作業であり、無駄を許さない作業である。人のいのちに牛のいのちを移すためにだれかがしなければならない丹念な準備の作業。あるとき、店主の弟がカメラに向かってぼそっとつぶやく場面が観る者を厳しく撃つ——

「そのお肉おいしいて言うて食べてるあなたたちのほうが凄いでしょ」

最後のほうに父の命日に親戚一同が集うシーンがある。創業から七代目となる店主の弔いはここで、父だけでなく牛たちにも向けられていた。「この世に生を享けたものの、天寿を全うすべきところを、人の都合により生命を提供していただいた多くの家畜たちの冥福を祈るとともに、感謝したいと思います」という挨拶で式は始まった。

わたしたちは「肉用牛」と言い、「役牛」とも言う。牛を飼うことの意味の大半は、たしかに、用役をさせること、食材として利用することにある。が、ここには余分な隔たりはない。《使う-使われる》の関係に間隙というものがない。

わたしたちは飼育において、使う側と使われる側を不連続のものと考えている。一方による他方の支配と利用と考えがちである。けれどもここで、逆方向から問いを立てる必要があるのではないか。「飼う」とは、「使う」者として人を中心に据えて成り立つものではなく、生きとし生けるものが相互に混じりあっていのちをやりとりする、そういう関係である、というふうに。使う側と使われる側の差異がどこにあるかではなく、まず人とそれ以外の動物との連続があって、そこから人はどのように身を引きはがしてきたかというふうに問わなければならないのではないかということである。この連続はときに《相互-動物性》(inter-animalité)と呼ばれることがある。このinterのなかに、人とそれ以外の動物との関係の両極、つまりはコミュニケーションとディスコミュニケーション(伝達不能)の交錯を表現しようというわけだろう。飼うという関係のなかには、生け贄がある一方で、弔いもある。われわれ人を黙殺する動物もいれば、餌を求めて人の集団に近寄ってくる動物もいる。彼らとのそういう交感のなかから、友愛や敵対が、愛情と裏切りが、あらためて童話や寓話として語りだされもするようになる。この連続からの引き剝がしの過程を、次に

「飼う」のもう一つのかたちであるペットのなかに見てみたい。

3. 飼う　その二

わが家には二匹の柴犬がいる。十三歳になるその一匹がある夜、痙攣を起こして、近くの病院に入院。翌日、乳腺癌の切除手術を受けた。前々から手術の必要を言われていたのだが、数日前から急に異様なまでの大きさに腫れ上がっていたのだった。数日間の治療のあと、患部を舐めないようにと段ボールで作ったエリザベス・カラーまがいのものを頸に巻いて、家に戻ってきた。いよいよ療養と高齢犬介護のシフトに家族生活も移行しなければならないと、家人とともに覚悟を決めることになった。

じっと横になったままでも、ふだん世話をしてくれる家人のふるまいを眼で追っている。家人の姿がふと消えると、耳で気配を追い、いつもとおなじ行動だと判ると安心してうとうとしはじめる。でも家の前にクルマが停まる気配がすると、覚束(おぼつか)ない足どりで、低い声で吠えながら玄関に向かおうとする。彼女はあきらかにわが家の住人である。

が、ふだんはめったなことでは声を上げない。わたしが帰宅したときははしゃぎ、手を、顔を舐めにくるのだが、すぐに踵(きびす)を返して寝床に戻る。ときにものすごく深いまなざしで見つめられることがあるが、不意にそれも外される。まるで瞑想するかのように庭をじっと眺め入っているときもある。何を思っているのだろう、深いまなざしの底にどんな〈魂〉が宿っているのだろうと、訝(いぶか)しく思うようなときがしょっちゅうある。じっと眼を合わせていても、そこに無限の隔たりというものを感じることがある。

おなじ家族のメンバーである。しかし種としては異なる。長いつきあいのなかでの信頼というものを礎としたコミュニケーションと、無限の隔絶を感じさせるディスコミュニケーションとがたえず交叉する。馴染みと疎遠、近さと遠さが、おなじ形姿の上に重なる。が、これは家人との関係においてもおなじように言えることではないのか……。犬という存在は、それほどまでに深く「われわれ」(家族、もしくはヒトの世界)に食い込んでいる。

いうまでもなく、ひとがみずからを「~である」と規定する行為と、みずからを「~でない」と規定する行為とは、表裏の関係にある。つまりそこには、みずからが「何」であるかの了解を導きだす一定の解釈枠というものが前提としてある。その解釈に沿って、どのような存在を同種とみなし、どのような存在を異種とみなすのか、みずからの位置からしてどのような存在が近くて、どのような存在が遠いと感じるのかが決まってくる。そのときの「みずから」なるものの規定もまた、この同種/異種、近さ/遠さの解釈のなかでなされるのであるから、「どのような存在を同種とみなし」という言い方も「じぶん以外のどのような存在を」とはあらかじめ言えないわけである。

犬や猫に代表されるペットも、そういうヒトの側からする解釈のなかで、その位置を、したがってまたその規定を変えられてきた。牛や馬が野生動物から「馴らす」という作業をつうじて「飼われる」家畜へと変貌し、さらには産業動物に、実験動物にとヒトの社会内での位置づけをも変えてきたように、たとえば犬も、狩りの戦友から「番犬」という名の飼い犬に、さらには愛玩の対象としてのペットにとその位置づけを変えてきた。

種差を超えた〈友〉としての発見から、家族の一員という承認まで、たしかにヒトは犬を他の動物から切り離して、「われわれ」の側へと引き込んできた。ともに狩りをする猟犬として、「われわれ」を防備する番犬として、「われわれ」を和ませるペットとして。これは言ってみれば〈引き込み〉のプロセスである。

これは同時に〈馴らし〉のプロセスであった。ヒトの意向にひたすら従順なものとして躾け、馴らす。つまり、じぶんに向かって牙を剝(む)かせないこと。手に負える、管理できる、そのような存在へと手なずけること。見下ろす／見上げるという視線の勾配に象徴されるような支配／被支配の関係がそこには厳然とある。意のままにできる（dispose）、したがって廃棄というかたち、譲渡もしくは売却というかたちで、自由に処分できる（disposable）存在として「飼い犬」はある。これと並行して、もっと美しい模様を求めて鯉を、もっと長い尾、もっと美しい鳴き声を求めて鶏を、品種改良してきたように、もっと小型にしたり短足にしたりと審美的な「改良」を施してきた歴史もある。

このなかの愛玩という契機が異様なまでに膨張しているのが、現代社会での犬の存在である。有用なものから「かわいい」もの、「癒してくれる」ものへの移行、見下ろす／見上げるという関係から見つめあう関係への移行である。家族の周辺から家族の中心近くへと（ヒトから言うと）内部化されてきたのである。少しでも寿命を長く、と健康食を考案し、先端的な高度獣医療を受けさせもする。高齢になれば手厚い介護もする。死ねばお墓も造る。「ペットロス」と呼ばれる症候群に苦しみもする。

　一方、これはまぎれもなく犬の商品化のプロセスでもあった。戦後なら、まずはスピッツ、次にコリー、そしてテリア、シベリアンハスキー、豆柴……などと、流行の品種はひきもきらず入れ替わる。もちろんブランドもある。ペットショップには、もろもろの玩具や、栄養食品・お菓子、さらには装飾品、介護用品が並び、美容室も備わる。葬儀を取り仕切る業者も現われる。一方、介護が手に余れば、引き取りや遺棄、「廃棄」を業者や行政に委託することを考える人も少なくはない。

　ここにあるのは、かぎりない慈しみ、愛着と、かぎりない冷淡さの併存である。いいかえるとひとは、かわいいもの、心地よいもの、じぶんを慰撫してくれるものであるかぎりでペットを〝〈人〉生のパートナー〟として愛玩するのであって、それはつまり条件付きの〝愛〟なのである。意のままになる、いつでも廃棄可能（disposable）であるという、暗黙の条件がそこにはある。〈友〉は、〈家族〉は、仮象としてそこにある。動物はそこでは、他者性を剝がれ、意のままになるものとしてその存在が「横領」（appropriation、わがものとすること）されるかぎりで、愛される。

　犬をはじめ、ヒト以外の動物は、ペット化されることによって、ヒトの内部に組み入れられるようになったかのように見えるが、じつはそのことでその存在はよりいっそう隔てられたのではないか？　ここでそのように問うてみたくなる。ヒトとそれ以外の動物との関係はもっとなだらかな連続性のなかにあったのに、ヒトの生活のなかに深く組み入れられることで、逆にそのあいだの断裂もまたより深くされたのではないか、と。

　ともに天の下で地を這うようにして、限りある生をいとなんできた生きものたち。その一員でもある人間は、他の動物たちをときにともに生きる仲間と感じ、ときにじぶんを襲うものとして畏怖してもきた。理解も伝達も不能な、わたしたちの意識のはるか彼方にある存在でありながら、ときにわたしたちの食材ともなり、ときにわたしたちの語りかけに応えもする、そんな両義的な存在としてである。測りようもない絶対的な隔たり。とりつく島がないという意味では、それは隔絶といえる。何も語らない、いかなる言葉も送ってくれない動物。そういう存在を〈友〉としてもちうるというのはどういうことなのだろう。ふり返ってみれば、たしかに民話や説話には、わたしたちの語りかけに応える動物が頻繁に登場する。ずる賢いキツネ、間抜けなタヌキ、そそっかしいネズミ、寂しがりやのイヌ、家族思いのゾウ、退屈そうな雄ライオン、鷹揚なクジラ……。それらはたしかに人間のセルフ・イメージが網掛けされ、投影されたものとして、あくまで比喩として語られるにすぎないともいえる。だがそこに「横領」はない。意のままにできない存在、包み込めない存在、近寄ってくるかとおもえば遠ざかってゆく測りがたい存在とのつきあいを表象するものとして、それらの語りはある。内部化できないものについての語りである。

そのなだらかな連続性を切断し、その差異を際立たせるものとしてあるのが、タブー（禁忌）の設定であろう。それは他の動物たちを近さ／遠さを軸に選別するシステムである。

食のタブーを例にとると、そこには食べてよいものと、食べることは可能であるが絶対に食べてはいけないものと、およそ食べる気のしないものとの区分が厳格に書き込まれている。塩と水以外にヒトが食料として摂るのは、生きものばかりである。有毒のものは除外して、それ以外に食料として摂取できない生きものはほとんどない。にもかかわらず、摂食可能なのに食べてはいけないもの、摂食がタブーとされる生きものが多数存在する。一般的にいえば、絶対食べてはいけないものの典型はペットだ。およそ食べる気のしないものは、異界、異邦の動物たちである。日本人の場合なら象やキリンやニシキヘビ。そして食べてよいのは、食用可能なもののごく限られた一部、脊椎動物でいえば、牛や豚、羊、馬、猪や鹿、兎、鶏、魚や鯨くらい。つまりヒトの周辺、里や山の動物たちだけなのだ。

あまたいる動物のなかに、このような、ある意味で恣意的な断線を入れる原理はいったい何なのか。それを考えるときに参照したいのが、エドマンド・リーチの一九六四年の論文「言語の人類学的側面——動物のカテゴリーと侮蔑語について」(諏訪部仁訳、「現代思想」一九七六年三月号)だ。リーチはここで、「われわれ」において食のタブーとなっているのは、「われわれ」の一員ではあるが「われわれ」そのものではないある両義的な存在であるという。このタブーが人類の感受性の底深くにまで沈澱したとき、それはおよそ食べる気もしないものに変じる。まさにモンテーニュが『エセー』に書きつけたように、「われわれにとって不可能でないものを、不可能たらしめるのは、習慣である」。

右で見たように、「われわれ」が接触することもないまったき他者としての異邦の動物は、食べようとすれば食べられるものであるはずなのに、食の対象には絶対にならない。また、「われわれ」の一員であるという意味で「われわれ」に属すると同時に、厳密には「われわれ」ではない異種、つまりは「われわれ」の他者でもある両義的な存在としてのペットも食の対象カテゴリーから厳密に外される。リーチによれば、こうした境界設定は婚姻のタブーとも並行していて、性的な接触がタブーとされるのは、「わたし」の一部でありながら「わたし」そのものではない両義的な存在としての家族と、「われわれ」とはふだん接触のない異邦のヒトである。性的な接触が許されるのは、おなじ共同体に属し、かつ「われわれ」家族ではない隣人たちということになる。リーチはさらに「われわれ」がしばしば口にする侮蔑語にも論を拡張し、食のタブーとなるその両義的な存在が、もっとも忌避すべき存在もしくはふるまいを言語的に表現するときに比喩的に用いられるという。「ブタ野郎」とか「権力の犬」といったふうに、である。

ヒトとの近さ／遠さという観点から、ヒトとそれ以外の動物とのなだらかな連続のなかに断線を入れるタブー。こうしたタブーの設定において、なぜヒトと他の動物との境界ばかりが際立たされるのか。それは、タブーがヒトの側の自己像〈セルフ・イメージ〉の形成と連動しているからだと、リーチは考える。つまり、なだらかな連続の切断が〈自／他〉という解釈枠のなかでなされているというのである。断線はその意味で恣意的なものである、と。

考えてみれば断線の位置がそもそも訝しい。生物と生物のあいだには、無限に多様な差異、種差があるのであって、ヒトとそれ以外の生物とのあいだに、それ以外の生物たちのあいだの差異や種差以上の、格別に大きな異質性があるわけではない。ヒトと区分けされる「動物一般」などというものがあるのではないのだ。

ヒトはなぜ他の動物との異質性をかくも強く意識せずにいられなかったのだろう。人間性と動物性との差異になぜかくも過剰なまでにこだわらずにいられなかったのだろう。そこには、「他」者を向こう側に措定することで反照的に自己を規定するしかない、つまりは、そういう境界設定によって防衛されるほかない、ヒトとしてのアイデンティティの茫漠さが底深くあるからではないだろうか。食の欲求にまで深く刻み込まれたこのきわめて厳格な境界設定は、人間性と動物性との差異の強化にほかならない。じっさい人類は、ヒトを他の動物から区別するそのメルクマールが何であるかにずっとこだわってきた。そのとき、動物は何ものかの欠如によって徴しづけられた。知性の欠如、意識の混濁、言葉や道具を使えないこと、ルールに従って遊ぶということができないこと……等々である。このように、強迫観念ともいえそうなこの過剰なまでの差異へのこだわりは、つねにヒトを中心に置いて、ヒトの側からなされてきた。それらは、みずからもまた深く組み込まれている周囲の世界から距離をとり、それを操作可能な世界へと対象化する、そのような能力の欠如として表象され、ハイデッガーの言葉でいえば、「世界が乏しい」（weltarm）という存在相にあるものとされてきたのである。そしてそれは、まぎれもなく、物言わぬ〈友〉を、飼育、屠畜、消費、動物実験の対象として支配し、「量産」し、簒奪してゆく過程なのであった。

　もっぱらヒトの側から暴力的に挿し込まれてきた他の生きものたちとの切断線。それはしかし、連続しているがゆえにたえず不連続の境界として切断されねばならないものであったのではないか。動物のなかでヒトだけを特別扱いする視線、つまりは人間に固有のものを先に問うこのまなざしが、現在、生態系から押し出されつつある動物たちの存在によって、無言の警告を突きつけられている。「自律性」や「自己決定」、「主権」や「尊厳」といったたぐいの人間の「固有性」を徴しづけることにやっきになってきたヒトの存在を、あらためてまぎれもない生きもの（いのちを繋いでいるもの）として理解しなおすこと。言ってみれば、「知る＝領る」（支配する）ことによってではなく、動物から「聴く」ことによって、ヒトをも含めた生きものたちがそれぞれの眼で照らしあうような関係を立てなおすよう、ヒトはいま迫られているのではないだろうか。ヒトが、動物のみならず、他の人たちの存在、ひいては自己自身の存在をも、操作可能なものとしてペット化している現在、そういういのちの閉塞を抜け出て、他のいのちとの深い繋がりへとみずからを開いてゆく勁さを回復するためには、そのようないとなみが不可欠なのだろう。

ペットとして深くヒトの社会に組み込まれた動物たちは、そこまで簒奪されても、それでも近寄ってきてくれる。まなざしにふれさせてくれる。その深いまなざしの底から見つめてくれる。そしてわたしたちの五感の及ばぬ場所に遠ざかっていってくれる……。動物たちはまだ恵みを遺しておいてくれている。

4．馴れ

飼うということについて、まず畜産をめぐって、次にペットをめぐって論じてきた。そして前者が、動物の使役もしくは食用という、飼う側からの使用に尽きるものではないこと、後者もまた、愛玩という一方向的な関係ではありえぬこと、要は飼う側が飼われる側に、飼われるとまでは言わないにしても、少なくとも世話し返されるという、反転もしくはめくり返しの面があることを確認した。

その論点を補うために、というかさらに問題として展開してゆくために、ここでは〈馴らし〉もしくは〈馴れ〉という面について見ておきたい。

　飼うとは飼い馴らすことである。いいかえると、飼育とは馴致（じゅんち）のこと、さらにいえば調教のことでもある。馴致する側からいえば「ならす」だが、馴致される側からいえば「なれる」もしくは「なる」となる。が、より正確にいえば、馴致される側を馴致する側がどう受けとるかというところでいわれているのが「なれる」「なる」であろう。その意味で、馴致する側からの一方向的な関係、馴致する側とされる側という非対称の関係であるにはちがいない。

　ところで、「ならす」については「馴らす」「慣らす」のほかにも「均（なら）す」と書くことがある。他方、「なれる」については「馴れる」「慣れる」とともに「狎（な）れる」「熟（な）れる」と表記することがある。ここで前者には「均す」があり、後者には「狎れる」「熟れる」があることが含意することに、少し注意を向ける必要があるだろう。

「馴らす」とは、飼い主の思いどおりにふるまうよう躾けることである。それは飼い主の指示どおりに動くということであり、たとえば歩行の方向や速度がそうだし、あるいは指示した芸をするというのがそうだ。「馴らす」とはそういう意味で、訓練すること、調教することである。そしてその支配・管理の面がさらに前面に出てくると、「均す」になる。「均す」とは、平定すること、人びとを何ごとにも従順な、ということは抗（あらが）いということを許さぬ、そういう存在とすることである。有無を云わせぬ、という恫喝（どうかつ）をちらつかせながら。

　ここには強制がある。が、強制は「馴らす」ことの背景をなすものであって、強制それじたいが「馴らす」ことなのではない。「馴らす」とは「慣らす」こと、つまりそのつど強制するまでもなく、辛抱強く調教ないしは訓練をくり返すなかで、あくまでみずから望んでそうなすかのようにふるまうよう、相手を変えてゆくことである。そういう習慣を植え付けることである。

では、このとき、馴らされる側では何が起こるのか。どんな変容が、どんな機制で生まれるのか。習慣とは、何かに「慣る」こと、「慣らふ」ことである。何かをくり返しなすことで、それに慣れっこになること、一々なぜと問うこともなく、またそのつど意識してそれをなすまでもなく、あたりまえのようにそれをするようになること、である。いますこしつぶさにいえば、おなじことを果てしなくくり返すなかで、それをなすことに抵抗がなくなるということ、つまり意識から脱落してゆくこと。違和感が薄れ、あるいは鈍麻し、とりたてて気にならなくなること。そう、馴染んでくること。他人と打ち解けるように、衣類が身になじんでくるように、道具類を使い込むことでその捌き(さば)きに熟達してくるように。

くり返せば、ここでのポイントは、馴らされる者がおのずからそうするかのように仕向けるところにある。要はその仕向けが、馴らされる側に内面化されるということ、馴らされるべき者がみずから進んでそれに慣れるということである。

この「馴れ・慣れ」のプロセスをさらに仔細に見る前に、この場面にもう一つ、別の視点を繰り込んでおきたい。迂路(うろ)のように映るかもしれないが、いずれなす議論のためにどうしてもこの段階で導入しておかなければならない視点である。

I-1では、ヘーゲルが所有について語っているところをもじって、次のように書いた。「使用においてわたしの身体が外なるモノのなかにおのれを置き入れるとき、わたしの身体は、そのモノのうちに反映されるとおなじだけそのモノにおいて捉えられ、規定される」、と。ちなみに、元になったヘーゲルの文章は次のようなものである。——「所有において私の意志が一つの外面的な物件のなかへおのれを置き入れるということのうちには、私の意志はその物件のうちに反映されるとちょうど同じほど、その物件において捉えられ、必然性のもとに置かれるということがふくまれている」（『法の哲学I』第九〇節、藤野渉・赤澤正敏訳）。言いたいことはつまり、馴らす者と馴らされる者とのあいだには、（晩年のメルロ＝ポンティの言葉でいえば）「越境と跨ぎ越しの関係」があるのであって、馴らす者は何者かを馴らすなかで、その馴らしをみずからへも反照させずにはいないということなのである。

その反照を、かつて生物学者たちは、人間の《自己家畜化》（self-domestication）と呼んだ。一九三〇年代のドイツでのことである。《自己家畜化》とは、野生動物をさまざまに家畜として「改良」してゆくなかで、その「改良」のまなざしが反転して、馴らす側、つまり人間自身のほうへも反転して送り返されるということである。

『人類の自己家畜化と現代』（二〇〇二年）の編者、尾本恵市は、おなじ本に収められた論文「メタファーとしての自己家畜化現象」のなかで、次のように述べている——

たとえば、ブタは野生のイノシシを家畜化した動物だが、両者の頭骨を比べると非常に大きな違いが見られる。イノシシでは歯や顎といった咀嚼器官が大きく発達し、また鼻先が長く突き出ているが、ブタではそれが短縮している。一般に、野生動物に比べて家畜では咀嚼のための機械的ストレスが減っているが、それが咀嚼器官の退縮の原因と考えられる。サルからヒトへの進化の途上、やはり咀嚼器官を中心とする顔面部の短縮が認められるが、これも同じ原理によると考えられた。

要するに人類もまた、ブタに食べやすくした飼料を与えるのと同様に、食用の獲物や採集物を、道具を使って切り刻んだり、砕いたり、さらには焼いたりして柔らかくしてから口に入れるようになって、しだいに顔面部の造作を退縮させていったということなのである。

家畜化とは、野生動物を人為的に交配させたり、繁殖後の成長をコントロールしたりすることだが、たとえば飼料の加工（軟化）一つとっても、それは家畜の形態や体質の大きな変容につながる。おなじ自然人類学者の埴原和郎（はにはらかずろう）によれば、その理由は、家畜においては「自然選択が弱まる反面、人為選択の力が著しく強くなる結果、変異の幅が大きくなる」ところにある。

もう一つ、同書で取り上げられている例を見ておこう。藤田紘一郎（ふじたこういちろう）の論考「清潔すぎることの危うさ」によれば、戦後の日本社会は、ＤＤＴ散布と回虫の集団駆虫から始めて環境の「無菌化への道」をひたすら追求してきた。そして殺菌剤や抗生物質、さらには抗菌グッズの濫用のなかで、日本人の体質そのものに大きな変化が生じた。たとえば、戦前までは日本人の寄生虫感染率は三〇から六〇パーセントと高率で推移していたのだが、「花粉症、アトピー性皮膚炎、気管支ぜんそくなどのアレルギー性疾患が、いずれも日本人の寄生虫感染率が一〇パーセントを切った一九六〇年代の半ばごろから出現してきた」というのである。寄生虫や細菌といった異物を、体内から、環境から排除することで、元来、ヒトとは無関係だったダニの屍骸や花粉、さらにはハウスダストに対しても敏感に反応するようになった、と。

これをもっと一般化すれば、人類は家畜を《有用性》や《効率性》という観点から選別し、「改良」し、場合によっては廃棄もするなかで、そのおなじ視線を反転させて、自己自身にも向けるようになるということである。

そのうえでもういちど、「なれ」の意味の広がりをふり返ってみたい。

「なれ」（馴れ・慣れ）とは、あるものに馴染むということ、それとの違和が消えゆくということである。ここにはいくつかの契機が見いだされる。

まずは、親しみ。何かが警戒心も抱かずに近寄り、すり寄り、まとわりついてくるときの、その親和性である。それを「なつく」（懐く）という。そういう親和性を慕わしく思い、それに焦がれるのが「懐かし」である。ちなみに、人と人とが親しく、懐かしくなるきっかけになった次第を「馴(な)れ初(そ)め」という。

が、その親しみは「馴れあい」ともなる。親しい者はしばしばぐるになって悪事をなす。ひたすらおなじことをくり返すなかで、やがてそれに「慣れっこ」になる。「慣れっこ」になるとは緊張が消えるということでもあり、そこから親しみのあまり遠慮も節度も欠いてしまうというなれなれしさの「狎れ」へとだれてゆくのも自然の流れとなる。

「なれ」はしかしまた、習熟のことでもある。作法であれば、それが作為的でなくできるということであり——アランがこれに秀逸な定義をあたえている。曰(い)わく、習慣（habitude）とは、「考えずに行動するすべ、しかも考えてやるよりもっとうまく行動するすべ」である（『定義集』、神谷幹夫訳）——、道具であれば、使い込む、使い慣れる、使いこなす、使い勝手がよいなどと言われる。熟れ鮨のように、時間が経って発酵し、食べ頃になると、それを「熟れ」と言いもする。

「なれ」はしかしまた、「ならひ」へと転化しもする。「慣れっこ」になったものは、世の「習い」、世の決まり・しきたり、つまりは慣習という、だれもが当然とおもう生の固定的な枠になる。そしてそういう枠というか既定の方式を「倣う」ことが、学び（＝まねび）、つまりは「習い」（＝模倣）になる。「習い」はもともとそれまで知らなかったもの、疎遠であったものに親しむことであろうが、それは容易に墨守という堅さ、頑迷さに裏返りもする。

「なれ」はこのように、人を柔らかくもすれば固くもする。熟させもすれば、弛緩させたり硬化させたりもする。腐乱ぎりぎりのところで熟成するのか、緊張の糸が解かれてだらんと緩んでしまうのか、はたまた四角張ってなんとも融通のきかないものに成りはてるのか。「なれ」はいくつにも分岐しうる。

「なれ」について、馴らすものと馴らされるものとが「越境と跨ぎ越しの関係」にあると言った。それをいいかえると、たんなる交換にとどまらず、たがいに侵犯しあう関係、浸蝕しあう関係でもある。しかもこのことは、ふつうは見過ごされやすいこと、あるいは見ることが抑圧されていることである。見過ごされるということは、密かに通じあうということでもある。つまり密通。この密通には、じぶんでも気づいていないほど深く、というのと、禁を破って、というのと、二重の意味がある。道具であれ、人であれ、動物であれ、「使う／使われる」という一方向的な使用の関係というのは見かけにすぎないのであって、そこにはそういう力関係の反転というものがたしかにあり、使用するものが使用されるものに使用され返すという、その反転の〝禁〟を破る瞬間というものが含み込まれている。

子育てや高齢者介護においては、世話する人が世話される人の〝奴隷〟になるのはめずらしいことではない。馴らす者は馴らされるものにしばしば振り回される。あるいは、所有は所有されるもののかたちに似てくると言ってもよい。金を自由に使えるようになって、人は逆に、その目減りへの不安が昂じ、ついに守銭奴に成りはてる。一人の異性をついにわがものとした瞬間から、人は逆に、恋人のまなざしの向かうものに対してひどく嫉妬するようになる。金への執着や嫉妬という感情は、ますます制御不能なものへとボルテージを上げてゆく。表面だけでなく内なる肉の繊維の隅々にまで、侵犯と浸蝕は進んでゆく。

フランス語で、知ること、知りあいであること、精通していることをconnaîtreという。字義どおりにいえば、ともに生まれること・生じることである。connaissance（認識・面識）とは、co-naissance（共同-誕生）、つまりはともに生成することである。この生成は、その両項をそれぞれに成熟へと至らせることもあれば、逆に、ともに蕩尽し、消滅してしまうこともある。「なれ」もまた、そういう両極のあいだを行きつ戻りつ、揺らいでいる。その揺らぎが、「なれ」に妖しさを漂わせる。

谷崎潤一郎の『陰翳礼讃』に次のようなくだりがある――

われ〳〵は一概に光るものが嫌いと云う訳ではないが、浅く冴えたものよりも、沈んだ翳りのあるものを好む。それは天然の石であろうと、人工の器物であろうと、必ず時代のつやを連想させるような、濁りを帯びた光りなのである。尤も時代のつやなどと云うとよく聞えるが、実を云えば手垢の光りである。支那に「手沢」と云う言葉があり、日本に「なれ」と云う言葉があるのは、長い年月の間に、人の手が触って、一つ所をつる〳〵撫でているうちに、自然と脂が沁み込んで来るようになる、そのつやを云うのだろうから、云い換えれば手垢に違いない。

「なれ」につきまとうこの妖しさ。それはときに矩を超える。その局面について章を改めて見る前に、「つかふ」のもう一つの位相、「言葉づかい」というものについて次に見ておきたい。

5. 言葉づかい　その一

他者との交通が生まれるとき、そのもっとも基礎的な媒体となるのは言語である。「ことばづかい」という語もあるように、言葉もまた使われるものである。言葉とはしかし、どういう意味で「使われる」と言われるのか。

哲学の研究者としてはまだかけだしの頃、言葉についてつくづく考えさせられた思い出がわたしにはある。

二十代の頃、二人の幼子を抱えたわが家にはいろんな生き物がいた。犬、リス、セキセイインコ、亀、めだか、ザリガニなどである。飼っているもののほかに、屋根裏には蛇、そしてどこに潜んでいるのかネズミやイタチもいた。「ごんた」と名づけた犬と並んで、もっともけたたましい叫び声を上げるのが、九官鳥だった。この九官鳥がわが家にやって来たとき、もっとも関心を示したのは「ごんた」だったが、竹で組んだその巣箱にじぶんの徴ともいうべきおしっこをかけた後はもはやなんの関心も示さなかった。

「珠々（ジュジュ）」と、畏（かしこ）くもイエス・キリストのフランス語表記Jésusをもじって名づけた九官鳥の、元はといえばセキセイインコの産卵用の大きな巣箱を水洗いするために、彼を別の小さな竹の巣箱に移すべく捕らえようとしたら、なんと、激しく逃げ惑いながら「おはよう、おはよう」と叫ぶのである。……面くらった。それまでにわたしが「珠々」に教えた語はただ一つ、この「おはよう」だった。それ以外にも、「珠々」は、これは勝手に二語を憶えていた。妻が玄関のインターフォンが鳴ったときに発する「はーい」という返事と、子どもたちが便所に行くときに母親の確認をとろうと発する「ママ、おしっこー」という叫声だった。「珠々」はそれぞれに三様の声音で叫ぶのだった。その「珠々」がおのれの恐怖を「おはよう」と、しかもわたしの声音に似たそれで表出したのである。これには虚をつかれた。虚というのは、不意ということでもあるが、同時に言葉とそれが意味するもののあいだに空く隙間という意味でもある。そのことについてかつてわたしは以下のように書いた。

恐怖と「おはよう」、もしこの結びつきが変だとしたら、恐怖と「こわい」の結びつきもやはり変である。「こわい」という私たちの感情と「こ・わ・い」という発声とのあいだには、どんな必然的な連関も、どんな類似性も存在しないからだ。そのかぎりで、私たちがこわいときに「こわい」と言うのと、ジュジュがこわがって「おはよう」と叫んだこととのあいだには何の違いもない。私たちもまた「自然の」声を失って、特定の言語という制度のなかでしか自己を音声的に表出しえなくなっているからである。怯(おび)えているとき、指を切ったとき、やけどをしたとき、私たちはギャーとは叫ばないで、身体をこわばらせつつ、とっさに「こわい」、「痛い」、「熱い」と金切り声を上げるのである。それ以外にも別の表現がありえたかもしれない、ということに想像がおよばなくなっているのである。

（『ファッションという装置』）

九官鳥としての「自然の装置」として「珠々」がもって生まれたその表現媒体は、このとき、みずからを廃棄して、すっかり別の装置に置き換えられていた。おなじことはヒトであるわたしたち自身にも言えるはずだと、「珠々」のふるまいから諭されたのである。

「ことばをつかう」とひとは言う。このとき「つかう」というのは、言語を表現の道具として、あるいは伝達の手段として使用しているということなのだろうか。

たとえば「痛い！」。この語を発するとき、わたしたちはじぶんが感じている痛みを他者に伝えるべく描写したり、表現したりしているのだろうか。そんなはずはなかろう。そんな思いと表現との隙間なしに、この語でもってじぶんの痛みをじかに他者に訴えているはずである。それは描写や記述ではなく、痛みの表出そのものである。

ヴィトゲンシュタインが、遺稿『哲学探究』（一九五三年、G・E・M・アンスコム／R・リーズ編、藤本隆志訳）のなかで書いている――

「すると、あなたは、〈痛み〉という語が本来泣き声を意味している、と言うのか。」――その反対である。痛みという語表現は泣き声にとって代っているのであって、それを記述しているのではないのである。

（第一部・第二四四節）

ここで痛みの言語的表出は痛みの自然的表出にとって代わっているのだと、ヴィトゲンシュタインはいう。彼によれば、言語はわたしたちの思考や感情、あるいはイメージの記号でもなければ標識でもない。思考を定着させるための手段でもなければ、思考の外皮や衣裳なのでもない。そういう含みで彼はこうもいっている。「わたくしが言語で考えているとき、言語的表現と並んでさらに〈意味〉がわたくしの念頭に浮んでいるのではない。言語そのものが思考の乗り物なのである」（第三二九節）、と。呻（うめ）くこと、顔をしかめること、力むこと。これが痛みの原初的表出とするなら、「〔わたしは〕痛い」もまたそれに準ずる痛みのふるまいそのものだというのである。それは痛みの記号でもなければ痛みを記述する文なのでもない。むしろ痛みのふるまいそのものだというのである。

「珠々」がそうであったように、わたしたちもまた言葉を憶えることによって、以後、「痛い」「熱い」「あっちっち」と言うが、「ぐーっ」と唸ったり、「ぎゃーっ」と叫んだりしえなくなる。自然的発声を失って、言語で唸り、叫ぶほかなくなるのだ。ふるまいそのものが変換される。ちょうど捕獲したもの、採集したものをそのまま食べるのではなく、煮たり焼いたり燻(いぶ)したりと、いわば調理し、味つけしてしか食べられなくなったのとおなじように、わたしたちは感情の表出をもまた言語という網の目をとおしてしか表出できなくなったのである。自然的なもののこの変換こそ、わたしたちが「文化」と呼び習わしてきたものにほかならない。

ほぼ時をおなじくして現象学者、メルロ＝ポンティもフランスで考えていた。痛みや怒りの所作は、それらの記述でも表現でもなく、痛みや怒りそのものなのだと。たとえば――

私が語を知ってそれを発音するためには、その語を私の心に表象する必要はなく、その語の分節的および音声的本質を私の身体の可能な使用法の一つ、転調の一つとして所有すればそれで十分なのだ。

あるいはこんなふうにも。

語の概念的意味（signification conceptuelle）なるものは、もともと言葉そのものに内在している所作的意味（signification gestuelle）を土台として、それからの控除として形成されたものだ。

（『知覚の現象学1』一九四五年、竹内芳郎・小木貞孝訳）

メルロ＝ポンティのこうした考えと、ヴィトゲンシュタインのそれとには、いくつか共通するものがある。

いうまでもなくまずは、言語というものを、思考や感情を他者に伝える道具や手段としてではなく、人のふるまいの一つとみなすという点である。ちなみにヴィトゲンシュタインが「思考の乗り物」と言った言語を、メルロ＝ポンティは「思考の身体」と言っている。

次に、そうしたふるまいとしての言語が人間における自然的なものの変換としてとらえられていることである。ヴィトゲンシュタインは言語を自然的表出に「とって代わる」ものとしたが、メルロ＝ポンティはさらに言語への変換のその恣意性に着目して、次のように言う。

怒ったときに大声を挙げたり、愛情を感じて接吻したりすることは、テーブルのことをテーブルと呼ぶより以上に自然的なことでもなければ、より少く習俗的なことでもない。感情や情念的な行為も、語とおなじように作り出されたものだ。父子関係の情のような、人体のなかにすでに刻み込まれてしまっているようにみえる感情でさえも、本当は制度なのだ。

（前掲書）

ヴォルフガング・ティルマンス
Anemone II, 2003

ふたたびヴィトゲンシュタインに戻ると、彼の頻用するGebrauchという概念がこれに呼応する。Gebrauchとは「使用」とか「用法」「慣用」とかを意味するドイツ語で、ヴィトゲンシュタインは、語の意味とはほかならぬそのGebrauchのことだというのである。そして、語の意味を知ろうとすれば、その語が人びとの会話のなかでどのように使われているかを知ればよい、とりわけその語をひとが子どもに——子どもを意味するinfantとはラテン語infansからくる言葉で「話さない者」という意味である——どのように教えるか、子どもがその語をどのように学ぶかを知ればよいという。つまり、「痛い」という語は、痛んでいる本人の痛みという感覚、感情を描写し、さらにそれを外へと表現したものではなく、呻き、唸り、顔をしかめ、力んでいる、そのような他者のふるまいをじかに意味するものだということである。人それぞれの感情や思いが一致したところにその語が成り立つのではなく、むしろ「生活形式の一致」においてこそそれは成り立つとするのである。

あるいはここで、言葉とともに、顔もしくは表情というものを思い起こしてもよい。顔は人の内面にある特定の感情を表現しているのではない。いいかえると、顔をとおしてその背後にある何らかの感情を読み取るようなものではない。目の前にある顔もしくは表情がいってみれば感情として現前している、つまりひとは感情そのものとして他者の顔に向きあうのだ。ただ、それに向きあうにも特定の規則がある。どういう感情がどういうものとして受けとられるか、読み取られるかは、それぞれの文化が内蔵しているそれぞれの「生活形式」としてあるということである。そしてそこにメルロ＝ポンティのいう恣意性の理由が見いだされる。

そこで言葉づかいである。言葉ではなく言葉づかいとことさらに言うときには、これまで述べてきたような言語の意味以上のものが含意されている。それは言葉の肌理とでもいうべきものである。かつてM・デュフレンヌが指摘したように、言葉はいわば回転扉をなす。〈意味〉としての言葉と〈肌理〉としての言葉という二重の姿である。これをテクストとしての言葉とテクスチュアとしての言葉というふうに言い換えることもできる。いうまでもなく、text も texture も、ともに「織られたもの」を意味するラテン語の textum に由来する。だから回転扉なのである。そして、わたしたちはある人の言葉遣いをして「荒い」とか「丁重だ」とか「品がない」とか言う。それはある人の言葉を言葉として受けとる側の感触を言い表わしている。つまり、「つかい」ということで言葉の肌理のありようをいっているのである。

みずからが語り、他者が受けとるこの言葉の肌理を知らない、あるいはあえてそれに耳を塞ぐ言語行為の典型がヘイト・スピーチなるものであろう。そのとき、このスピーチは他者に、石つぶてのように激突する。槍や釘や針のように刺す。他者の言葉を聴くときも同様である。わたしたちはテクストとしての他者の言葉をしかと受けとめても、テクスチュアとしての他者の言葉を聴きそびれることがしばしばある。そのとき、他者はじぶんの言葉は字面は理解されても、言葉じたいは逸らされたと感じるだろう。ヘイト・スピーチほど激烈ではなくとも、わたしたちの日々の語らいにはこうしたずれ、あるいは行き違いが頻繁に見いだされる。

さて、この行き違いを言葉の使用に関連づけて論じるのは、福田恒存である。彼は、ヴィトゲンシュタインやメルロ＝ポンティと違って、言葉をあえて「道具」であるとするのだが、「道具の良し悪しは、道具そのものにあるよりは、その使ひ方にある」という。そのうえで、一九六二年に書かれたある随想のなかで次のように述べる。

大事なのは、相手でもなく自分でもなく、相手と自分とを包み、相手と自分とを成立たせ、相手と自分とが作上げる場そのものである。必要なのは……場そのものが自由と可能性を保持しうるやうに心を配る事である。場に対して謙虚な心構へをもつ事である。

（「言葉は道具である」）

そして「言語道具説がいいけないのではない、道具が生き物である事を知らぬ事がいけないのである」と言い切る。

6．言葉づかい　その二

福田恒存は、「道具の良し悪しは、道具そのものにあるよりは、その使ひ方にある」として、こんな例を挙げている。

だれかに戸を閉めさせる、あるいは閉めてほしいとき、たとえば「戸を閉めろ」と命じる。もうすこし穏やかに「戸を閉めてくれ」と頼みもする。さらに穏やかに「戸を閉めてくれる？」と疑問形で促したり、「戸を閉めてくれない？」と否定形で問いかけたりもする。さらにはもっと間接的に、「寒くない？」と語りかけたり、「寒いな」とひとり呟いたりもする。このように、強制的な発言から非強制的なそれまで、おなじことを頼むのにもグラデーションがある。

おもしろいのはこの場合、「戸を閉めろ」という命令が「寒いな」というつぶやきよりもより強制的だとはかならずしもいえないことである。「寒いな」というぶっきらぼうな物言いで閉めることを命じるほうが、いちいち「閉めて」と指示するよりも傲慢といえば傲慢だし、陰湿といえば陰湿といえる。暗いところで人を刺すのである。

この「寒いな」という言葉に「一寸も寒くない」と応じるとどうなるか、とも福田は問うている。そして、夫婦喧嘩や兄弟喧嘩もたいていはそういう言葉のやりとりから始まるという。「寒いな」というのはたしかに、「戸を閉めろ」というあからさまな命令ではなく、事実の客観的な描写である。「一寸も寒くない」というのもまた、協力の拒絶ではなく、事実の描写であることに変わりはない。にもかかわらず、そういう事実の描写のやりとりから争いと傷つけあいが起こってしまう。

このような行き違い、このような諍いが生じるのは、「言葉が道具である事を忘れ、それを使ひ手の心から離れた客観的な存在ででもあるかのやうに扱つてゐるから」だと、福田はいう。道具といえばわたしたちはそれを自己の一部とは考えずに、じぶんが使用する物的な対象のように考えてしまうが、福田はここで、道具を使い手の「心」と一体になったものとしてとらえている。「寒い」「寒くない」と言うのは気温を指してそう言っているのではなく、「～してほしい」あるいは「いやだ」という「心の陰翳」を示すものだというのである。「寒い」「寒くない」という語が、辞書にあるとおりの意味だと思い込むのは、福田によれば、「言葉の陰にある相手方の心の動きを鋭敏に感受」しつつ自在に言葉をあやつり、使いこなすという生きた言葉の姿を忘却しているからである。いいかえると、言葉がつねに「誰かが誰かに向つて何かの目的に使ふ」ものだということを忘れているからなのである。そういう意味で、福田は「言語道具説がいけないのではない、道具が生き物である事を知らぬ事がいけない」のだと、いやさらに「道具は心そのものでないと言切れるだらうか」とまで、言ったのである。

「相手がこちらの出方によつてどう出るか解らないと同様に、自分も相手の出方によつてどう出るか解らない」という、言葉のやりとりのよくある状況のなかで、大事なのは相手のみならずじぶんに対しても「自由と可能性を許容する謙虚な心構へ」だとしたうえで、福田はこう言う。これは福田の語るもっとも核心的な箇所なので、先に一部省略した部分をも復元しつつ、その文章を次にもういちど引いておきたい。

大事なのは、相手でもなく自分でもなく、相手と自分とを包み、相手と自分とを成立たせ、相手と自分とが作上げる場そのものである。必要なのは、相手や自分にその自由と可能性を許容し、それを狭く限定してしまはぬやうに心を配る事ではなくて、それよりも場そのものが自由と可能性を保持しうるやうに心を配る事である。場に對して謙虚な心構へをもつ事である。

（「言葉は道具である」）

ここでいう「場」とは、言葉そのものが交換される場というよりも、言葉という「心の陰翳」が行き交い、触れあい、縺れあう場ということであろう。ここで福田は、直接的な指示や命令よりも、「心の陰翳」が通いあい、交じりあう間接的な場をどうかたちづくるかのほうが重要だと言っている。そのことを、「餘り直接的に實用を目ざすと、却つて實用にならない。餘り直接的に道具を使ふと、却つて道具としての用をなさない」とも言い換えている。

「場」が生きているとはしかし、いったいどういうことなのだろうか。

言葉の「使用」ということを、あらためて哲学の議論として定式化した人に、英国の哲学者、J・L・オースティンがいる。その主張は、彼の死後一九六二年に刊行された、ずばり *How to Do Things with Words* と題した書物において示されている。彼はそこで、言葉が何かを表わし、それを他者に伝達するものだというありきたりな考え方を「記述主義的誤謬」と呼び、言葉をたんなる記述ではなく、他者にかかわってゆく行為の一つとして重層的にとらえる必要を説いている。具体的にいえば、言葉には事実確認的（constative）な用法とは別に、行為遂行的（performative）な用法がある。前者の記述的な用法では、発話（陳述内容）の真偽が問題になるのに対し、後者では発話そのものが適切（felicitous）か否かが問題になる。そしてこの後者の行為遂行的な発話は、一つの発話そのものが次のような三層からなるというのである。

まず、ある言葉を声に出して言うことそのこと、これを「発話行為」（locutionary act）と呼ぶ。先の福田の例でいえば、「戸を閉めて」と言うことそのことをさす。次にこの発話でもってそばにいる人に戸を閉めるという行為の遂行を命じる、もしくは促す行為、これを「発話内行為」（illocutionary act）と呼ぶ。そして三層目が「発話媒介行為」（perlocutionary act）。これは「戸を閉めて」と言うことで、たとえば「(わたしが寒がっているのに、それに気づかないなんて)あなたには思いやりがないのね」と暗に言う、いってみればあてつけの行為でありもする。

このモデルはその後、J・R・サールをはじめとして哲学者のあいだでさまざまな議論を巻き起こしたが、なかでもここでわたしが注目したいのは、文化人類学者の川田順造が『口頭伝承論』(一九九二年)のなかで示した異論である。オースティンのモデルの大前提、つまり命令や指示、陳謝や宣告などの行為遂行的発話から区別される事実確認的発話そのものも、じつはある状況での言語行為として、あくまで行為としての価値をもつのではないかというのである。

事実確認的な発話も、なにか具体的な行為とは無縁なかたちで、純然たる記述として口にされるわけではないことはオースティンも認めないわけではないが、川田はさらに一歩踏み込んで、次の点に着目する。語られる内容がどうあれ、語りそのものには声の調子、抑揚、律動(リズム)などの話しぶりというものがあり、さらにその話しぶりはいわゆる「芸」として磨き上げられもする。そういう次元を含み込んだものとして、やはり行為遂行的である。この点に着目しないのは、「書きことば中心の学問の伝統にとらわれた欠陥」だというのである。

記述的発話がその話しぶりをとおして発話内行為となる例は、挙げればきりがないほどある。発話が状況に応じて言語外の意味を帯びるときは、いつもそうである。先ほどの戸を閉める例によせていえば、「きょうは寒いですね」という事実確認文はそのまま「戸を閉めていただけませんか」というふうに、戸を閉めることを促す行為遂行文でもある。「旅行に行ってみようかな」という文が、たんなる主観的な願望の表現だといって済ませられる夫婦などいないだろう。「だったら行ってきたら」などと対応しようものなら、その発話はまさに「不適切」、間の抜けたものになる。

言葉が「心の陰影」だという福田恒存の指摘をも思い出しながら、ちょっと脇道にそれていくらかの遊歩をお許しいただけるなら、知的障害のある子どもたちによるアート作品の制作を支援している知人から、こんな話を聞いたことがある。

ある子どもが一気に描いた絵に、横で「すごい」「びっくりした」と声をあげると、その子はそれとは違った絵を次々に描いてくれる。ところが、できた絵を見て「よくがんばった」「よくできたね」と声をかけると、それ以降はそれとおなじ絵をずっと描くようになるというのだ。「びっくりした」とか「よくできました」とかいう事実確認的発話が、両者のあいだで大きく異なる行為遂行の質をもっていることがこれほど明白な例はないだろう。

子どもといえば、小学校に入って経験する給食の時間というのもそうだ。「おいしかったね」と先生から声をかけられるのと、「全部食べられましたね」と先生に言われるのとは、行為遂行的意味もしくは「心の陰影」がまったく違う。前者は先生と子どもがおなじものをいっしょに食べる状況で、後者では先生はいっしょに食べずに生徒が食べるかどうかをチェックする人である。「全部食べられましたね」という文はそのまま「監督する」「褒める」という行為になっている。よく似た事例を、認知症を患う人たちのユニット・ケアやグループホームの現場でも目にしたことがある。ふつうの施設なら、スタッフがテーブルごとに配膳してゆく。そして担当のテーブルで食事の介助をする。だから食事中も「おいしいですか?」と声をかける。けれどもこの施設ではスタッフも患者さんたちといっしょに炊事し、いっしょに食べるのだから「おいしい?」と訊くことはない。

「おいしいね」と顔を見合わせるだけである。このようにスタッフと入所者がおなじものをおなじテーブルで食べるということだけで、関係がごっそり変わってしまう。「おいしい」という語の使用も微妙に、しかし「心の陰影」としては明確に異なるのだ。

さらにまた、たとえば、旋律とともに歌われる、事実確認的な発話が「特定の韻律によって様式化され」ている場合には、「メッセージを差し向けられた者が二人称によって明示されていない一般化された記述が、訴え、願い、思慕の情、さげすみ、怒り等を、状況によって推定しうる実質上の発信者に向けて発していることが多い」とも川田はいう。歌謡や朗誦、噺や語りなどの「芸」というのも、韻律ばかりではなく、特徴のある声音やリズム、聴き手との呼吸のあわせ方など、さまざまな歌いぶり、語りぶりのなかにおのずから出てくるものであろう。

歌や噺、語りの「芸」を楽しむというのは、そこに何か新しい「事実」の告知や情報があるからではない。話の内容は知り尽くしているのに、それでもくり返しそれに耳を傾けたくなるのは、歌詞や噺・語りの意味内容ではなく、その歌いぶりが、話しぶりが、人の情動に強くはたらきかけるからであり、そのような仕方で人を動かすところがあるからだ。川田によれば、「同一音や同一音価の規則的反復は、秩序感や安らぎを与える反面、冗漫の印象、退屈感と背中あわせの関係にあるが、しかしある種の音の度を過ぎた反復は、聴く者のうちに意識の溷濁、恍惚、陶酔を惹き起す」。その場に居合わせる者たちが声を合わせて唱和する、あるいは読経する、それが忘我もしくはトランスの引き金になって、思わず「意識の検閲を外された深層の想念が、声になって口をついて出ること」があるとも、川田はつけ加えている。

言葉づかいは、道具のように言葉を使用することではない。言葉づかいとはそれじたいが人の一つのふるまいである。「文は人なり」（Le style est l'homme même）という言葉がある。十八世紀フランスの博物学者、ビュフォンの言葉として知られるが、原文にあるように、ここでいう「文」はスタイル、つまりは「文体」である。「文体」とはつまり、書きぶり、語りぶりのこと。そしてそれが「人」だというのである。

とすると、他人に言葉をかけるというのも、他者に触れること、他者を動かそうとすることである。誘う、訴える、甘える、おもねる、慕う、囃す、励ます、慰める、脅す、騙す、命じる、誇示するなどなど。そういう他者へのはたらきかけを、わたしたちは、声音、声の大小、高低、抑揚、緩急、律動をもって、まるで相手の身体に触れるかのようにしてなす。言葉はこのように、意味を編むテクストとしてのみならず、幾層もの他者との交感のなかで意味を伝えるのである。

いうまでもないが、このような言葉のテクスチュア（肌理）だけで人と人のあいだの伝達が成り立つわけではない。言葉のテクスト（言語的な意味）が依然として伝達の中核にあることに変わりはない。しかし、出来事としてあって言葉として残るものではないこうした言葉の濃密なテクスチュアが人と人とを繋いでいるのも、おなじように確かである。

わたしたちが先に挙げた「おいしいね」に通じる会話の例を引きつつ、川田は『口頭伝承論』に収められた長大な論考「発話における反復と変差」を次のような印象的な文章で結んでいる。

――オナカスイタネ

――ナンカタベヨウカ

こんな、深夜の男と女の間で交わされるかもしれないことば、あるいは朝から娘の手をひいて歩きつづけている父親が、足をとめて口にするかもしれないことば。事実の叙述でも、問いかけでもなく、提案ともいえない、二人の人間の心の、かよいあいというのもはばかられるつながりからふと生れた、主語を明確にしたのでは成り立たないつぶやきのようなもの。目の前の微細な希望にだけつながっているような、卑小で偉大な発話。人類が言語を獲得してから数百万年の間に、再び「かたられる」ことも、記録されることもなく、発話された瞬間に永久に消えていった星の数よりも多いであろうことばたち――その中に、真に新しいことばも、おそらくあったのであろう。

たがいの存在をまさぐりあい、確認しあうかのような言葉の交換、それがなんの準備もなしににじかに起こる。一抹の不安や猜疑（さいぎ）すらもなしに起こる。言葉の自由が、「草の上を過ぎる風のように気まぐれにだが」（川田）、僥倖（ぎょうこう）のように訪れる瞬間が確かなこととしてあるということ、それがおそらくは「場が生きている」ということの意味なのであろう。

V　使用の両極

1. いたぶり

　このように「つかふ」の諸相に目をやっていると、「つかふ」ということがたんなる「使用」を超えた広大な領域にかかわる概念であることが見えてくるが、同時にまた「使用」そのものの、苛酷というか残虐というか、その否定的な側面にも気づかされないではいられない。

　たとえば。

　いまわたしの前には、女工の苛酷な労働状況をつぶさに描いた二冊の書物がある。一つは細井和喜蔵（ほそいわきぞう）の『女工哀史』（初版は一九二五年）、いま一つはシモーヌ・ヴェイユが二十代半ばに書き綴った『工場日記』である。前者が、紡績工場での就労経験もある文筆家による同時代の女工の労働実態の体系的なルポルタージュであるのに対し、後者は、思想家が工場での自身の就労体験を日々メモランダム風に書きとめた記録であるという違いがある。とはいえ、その視線が向かうところは、理不尽な雇用制度、苛酷な労働条件、劣悪な労働環境、虐待ともいえる作業実態、恐るべき低賃金、それに作業工程の細部、女工たちの心理的確執など、符合する点が意外に多い。

産業化が急速に進行した十九世紀の工場労働の苛酷さについてはじつに夥しい論攷（ろんこう）や報告があるが、なかでもここで参照しておきたいのは、右の『工場日記』である。機械を使うのはもちろん人間にほかならないが、機械を使うその人間が機械に使われるというふうに反転する様を、ヴェイユが《隷属》（esclavage）という視点から描きだしているところに注目したいのである。

一九〇九年生まれのシモーヌ・ヴェイユは、パリの高等師範学校を卒業後、一九三一年にオート・ロワール県ル・ピュイ市の女子高等中学校に哲学教師として赴任した。そして近隣のサン・テチエンヌの炭坑労働者たちの組合活動や失業者の支援活動にも参加した。そのことで学校でも物議をかもし、別の二校へ配置換えされた後、一年間の休暇をとって、一九三四年の暮れにアルストム電機会社に女工として入社するが、過労で健康を損ね、数ヶ月後には解雇される。が、療養する間もなくバス・アンドル鉄工所、さらにはルノーの工場へ転職する。二十五歳から二十六歳にかけてのことである。その間に書き継いだ日記は、「工場日記」として、一九五一年に刊行された『労働の条件』（*La condition ouvrière*）に収録されている。

これら三つの工場での未熟練工の搾取がいかにひどく、また労働条件や作業環境がいかに劣悪であったかは、ある一日の日記の記述がたった一言「停電（ありがたかった）」であったことからも推し量れる。日記によれば、同一の部品を一時間半でおよそ七百個、一日で四千個、ときには十五時間で一万個、作らねばならないこともあったようで、そんな単純労働が来る日も来る日も続いた。じっさい、「同じ仕事。」という記述で日記が始まる日が何日も続く。

ここでとりわけ着目したいのは、当時の苛酷な工場労働の告発そのものではなく、むしろその渦中での彼女の気持ちの大きなぶれである。

厳しい労働のすきまに彼女はふと思う。――「工場というのは〔……〕人が真の人生に、きびしく、痛ましく、しかしとにかくよろこびをもって直面する場所なのだ。自分の中にある人間的なものを屈従させたり、むりやり押し殺したり、自分を曲げて、機械に隷属させたりするだけの暗い場所であってはならない」と。そして、灼熱の竈の前で作業をしているとき、暑さと疲労と苦痛とで作業の限界にきているときに、温かい同情の微笑を向けてくれた同僚、作業を一時交替してくれた同僚たちのことを思い浮かべて、「あの工場の片隅へかえって行きたい」とこの時期、アルベルチーヌ・テヴノン夫人にあてた手紙のなかに書きつけている。

が、続けてすぐに、これも「たった一度きり」だったとヴェイユは書き、こう綴る。

> わたしの自尊心とか、自重の思いとかの拠りどころになっていたあらゆる外的な理由（以前、わたしはそれらを内的だと思っていた）が、二、三週間で、毎日の生活の残忍な圧迫のもとでたちまち徹底的にくずされてしまったということなの。でも、そのために、わたしの心の中に、反抗的な衝動が生じてきたのだと思わないでね。いいえ、それどころか、わたしは世の中で一ばん自分に何一つ期待していなかったのよ――温順でありたかった。あきらめきった駄獣のように温順でありたかった。わたしは、待ち、ほどこしを受け、命令を実行するために生れてきたような気がしていたのよ……

気がつけばじぶんが「服従よりもさらにすすんで、何ごともあきらめて受け入れるようになっていた」。「自分にも権利があるのだという感覚を、すっかり失って」しまっていた。それほどに「低められた状態」にあって、「考えるのを放棄したいという誘惑」にぐいぐい吸い寄せられていった……。ヴェイユが強調するのは、労働の悲惨さ以上に、《隷属》へとみずから進んで身を沿わせてゆく労働者たちのこの態度である。

思考の「放棄」もしくは思考からの「逃亡」は、工場労働における《隷属》の二つの要素からくるとヴェイユはいう。それは「スピード」と「命令」である。

「スピード」とは、流れ作業の効率を上げるために、工員が機械の「一連の同じ調子」へとみずからの活動をチューニングしなければならないということだ。余計なことを考えてはならないのだ。ヴェイユは書く。《一つ一つの操作を、思考よりももっとはやく、じっくり考えることはおろか、もの思いにふける余裕もゆるさないような速度でズンズン続けてやらねばならないということよ。一たん機械の前へ立ったら、一日に八時間は、自分のたましいを殺し、思考を殺し、感情を殺し、すべてを殺さなければならないの》。

「命令」とは労働過程における強制である。いかに理不尽な命令に対しても、とにかく黙って屈従すること。《言葉や行動にあらわしてはいけないの。行動は四六時中、労働のためにしばられているんだもの。こういう状況では、思考は小さくかじかんでしまうわ。ちょうど、メスをあてられる前に肉体がちぢむように、思考もちぢんでしまうわ。人は「意識を持つ」ことができないのよ》。

職工たちは、じぶんが作っている部品がどう使われるのか知らない。どのように利用されるかも知らない。このことがまず職工の意気を挫く。が、それ以上に、そもそも思考をゼロにしておかねば、一分間に六個、七個の作業はこなせない。操作の按配などを工夫することが職工の最後のプライドであろうが、それすらも邪魔なのである。ヴェイユは言う。「人間の生活において何より大切なことは、何年もの間〔……〕生活の上に重くのしかかってくるいろいろな出来事ではない。今の一分間が次の一分間にどんなふうにつながっているかというつながり方が大切なのである」、と。個人におけるこの有意味な内的持続、これがそもそも成り立たないのだ。

このようにみずから意識をもつことからも隔たってゆくなかで、かつて疲労困憊しているなかで同僚が送ってくれた一つの微笑も、一つの言葉も、押し潰され、やがてひしゃげてゆく。《そういう心は少ないの。ほんとうに少ないの。大ていの場合、仲間どうしの関係すらも、この内部を支配している冷酷さを反映しているの》。

そして目をこらすべきは、「圧迫というものは、ある程度以上に強くなると、反抗への傾向ではなくて、完全な隷属への殆んど不可抗的傾向を惹起する」（「工場長への手紙」）ということだ。自己の活動の、ひいては身体の「主」がもはや自己ではなくなっているどころか、むしろみずからが「重んじられていない」状態をあえてみずから望む、そういう心性である。

こういう事態を強烈に希求する人たちが別の場所にいる。マゾヒストである。自己所有感を失うことをこそ念じる人、みずからの存在の「主」であることを放棄したいと願う人である。

マゾヒストというとすぐにSMのゲームを想像してしまう。あの折檻のシーンである。一方には、眼の造作を隠すアイマスクに黒革の装束、ハンドストラップをつけた手には鞭、それに網目のストッキングといった、そんな姿で立ちはだかるサディスト。他方には、目隠しされ、首に輪をかけられ、縄で縛られ、床に転がるマゾヒスト。加虐／被虐のこのような儀礼的ともいえる過度の対比は、ややもすれば事態を曇らせるようにおもわれる。

マゾヒストはここで、緊縛によって自発的な動作が禁じられる。頭部がすっぽりマスクで覆われその人の「だれ」、つまり人称的な存在が否認される。それどころか、人としての存在そのものを否定するために、（動物のように）四つん這いにさせられたり、「雌犬」とか「豚」とののしられる。（機械のように）自由意志や生理のコントロールが封じ込まれる。（モノのように）床に放置される。石ころか荷物かのように足蹴にされる。私秘的な身体部位を露出させられる……。ここではたしかに、〈わたし〉を存在として劃定（かくてい）しているもろもろの境界が侵され、有無を言わせず否認されるのだが、マゾヒズムはじつはもっともっと日常的な場面に滲みわたっているものだ。さりげなく、あたりまえのように。でも気がつけばごく偏執的な面立ちで。

それを巧みに描きだしたのが、谷崎潤一郎の一連の小説であろう。『痴人の愛』（一九二五年）、『鍵』（一九五六年）、『瘋癲（ふうてん）老人日記』（一九六二年）などである。ここではそれぞれの筋書きを逐一追うことはしないが、共通しているのは、犠牲者が拷問者をじつは時間をかけて訓育してゆくプロセスの執拗なまでの描写である。主人公は、よその娘を、うちの嫁を、じつに時間をかけて、戦略を練って、加虐者へと育て上げてゆく。育て上げたその加虐者の前で、主人公はさんざめき、うっとりとなり、ひとり勝手に悶える。

たとえば死を間近にした老人は——

予ハ芝居ヲシテルンジャナイ、「颯チャン」ト叫ンダ拍子ニ俄ニ自分ガ腕白盛リノ駄々ッ子ニ返ッテ止メドモナク泣キ喚キ出シ、制シヨウトシテモ制シキレナクナッタノデアル。

『瘋癲老人日記』

みずからの死後も「彼女」を引きとどめておきたい老人は——

タトエバ彼女ノ意志ノ中ニ予ノ意志ノ一部モ乗リ移ッテ生キ残ル。〔……〕颯子モ、地下デ喜ンデ重ミニ堪エテイル予ノ魂ノ存在ヲ感ジル。或ハ土中デ骨ト骨トガカタカタト鳴リ、絡ミ合イ、笑イ合イ、謡イ合イ、軋ミ合ウ音サエモ聞ク。〔……〕石ノ下ノ骨ガ泣クノヲ聞ク。泣キナガラ予ハ「痛イ、痛イ」ト叫ビ、「痛イケレド楽シイ、コノ上ナク楽シイ、生キテイタ時ヨリ遥カニ楽シイ」ト叫ビ、「モット踏ンデクレ、モット踏ンデクレ」ト叫ブ。

（同書）

レビューの踊り子だった息子の嫁のその足に魅せられた老人は、それに気づいた嫁の言葉とふるまいによる嬲りにうっとりとなるなか、やがてその足裏の型を取って仏足石に刻ませ、その墓の下で眠ろうとする。ここに描かれた精神のいじわるなかけひきは、一時のゲームとして演じられるのではなく、緻密に計算しつくされたかのような劇としていわば二人して共犯的に企てられるものである。だから死後の妄想よりもその共犯のプロセスそのものに官能がある。谷崎はこの作品を書く三十年以上も前に、まるでこれに自注をつけるかのごとく次のように書いていた。「心で軽蔑されると云っても、実のところはそう云う関係を仮りに拵え、恰もそれを事実である如く空想して喜ぶのであって、云い換えれば一種の芝居、狂言に過ぎない。〔……〕つまりマゾヒストは、実際に女の奴隷になるのでなく、そう見えるのを喜ぶのである」（「日本に於けるクリップン事件」）、と。

　弄ぶ者と弄ばれる者とのこの共犯関係のなかでは、弄ぶ者ではなくて、弄ばれる者が弄ぶ者を時間をかけて調教してゆく。いたぶられる者がいたぶる者を育てるのである。「共演者」の教育、それがこのフィクションの要になる。マゾヒズムを、サディズムと対をなしつつ完成される相互補完的関係にあるとする解釈を斥け、その倒錯を特徴づける固有の操作と機制を問うたジル・ドゥルーズは、マゾヒズムを成り立たせているものが「訓育」と「契約」であるとして、『マゾッホとサド』（原題は *Présentation de Sacher-Masoch*）において次のように書いた。マゾヒズムにおいては「すべてが説得であり訓育である。犠牲者をかどわかし、それが自分の意にそわず説得をうけいれまいとすればするほど悦楽を覚える拷問者の存在は、ここではもはや姿を消してしまっている。われわれが目にするものは、拷問者を求める犠牲者、拷問者を養成し、説得し、この上なく奇妙な企てのためにそれと盟約を結ばずにはいられない犠牲者なのである」（蓮實重彥訳）、と。谷崎の『瘋癲老人日記』が書かれて数年後のことである。

　おのれを調教する者をおのれが調教する。この調教者の調教という行為は、時間をかけて丹念になされる。相手をじっくりと「共演者」へと育て上げるのである。これは説得し、契約させ、いたぶる者として訓育してゆく長い過程であり、ときに言葉の丁々発止ともなるその妖しげなプロセスそのものが快楽の源泉となる。マゾヒストは縄ではなく「自分の言葉によって束縛されているだけなのである」とも、ドゥルーズは書いている。

いたぶる者といたぶられる者とのこの共犯関係にゆっくりと引き入れられ、やがてそれぞれが「いたぶる者」と「いたぶられる者」として純化／馴化(じゅんか)させられてゆくこの「共演者」たちの心的機制はいかなるものか。これがあくまでフィクションとして演じられるというのはどういうことか。そのプロセスが深い悦楽をもたらすのはなぜなのか。

2. 占有

だれかがわたしの恋人となること、もしくはそういう関係をわたしと取り結ぶことに同意してくれたこと、それを最近の人は、恋人を「ゲットした」と言う。「手に入れる」という意味なのだろう。その獲得の瞬間を「僥倖(ぎょうこう)」としてではなく「贈与」としてでもなく、「ゲット」として意識したあとにその主体がたどることになるのは、その瞬間の有頂天をその反対極へと揺り戻す、悲劇的とも喜劇的ともいえるロジックの連鎖である。

(1) 恋人の存在を、だれにも触れさせず、ひたすらわたしだけが愛玩していたい。つまり、わたしだけのものとして独占的に所有したい。

(2) 何かを、だれかを、わがものとして所有するというのは、その存在をわたしが思うがまま、意のままにできるということである。

(3) 意のままにできるというのは、わたしに所有権があるということである。

(4) 所有権というのは、その存在がだれかに帰属するということである。そのかぎりでそれは（わたしではない）別のだれかに帰属することもありうるということである。

(5) それがわたしのものでなくなるという、その可能性を意識したとき、その兆しが嫉妬という強い感情をわたしに発動させる。

(6) それを収めるためには、わたしによる占有の体制を強化しなければならない。

(7) そこで、わたし以外のだれも手を出せないよう、その存在を隔離しようとする。

(8) 隔離するとは、物理的に監禁するということである。いいかえると、恋人の存在が物理的なものに還元されるということである。さらにいいかえると、恋人の身体の所有権を、恋人自身からわたしが強奪するということである。

(9) 恋人の身体をわたしの所有権の対象としうるのは、もともと恋人の身体が当の恋人自身のものであったからである。

(10) つまり、恋人はかつて彼／彼女自身の身体の所有者としてあった。

(11) これは、現在も可能的にはその身体の所有者としてありうるということである。つまり、所有の主体としてわたしが承認しているということである。

(12) すると恋人は、〈わたし〉を所有する主体にもなりうる存在だということになる。

(13)そういう可能的な所有主体につねに〈わたし〉にのみ意識を向けるよう誘導するためには、〈わたし〉はその主体の関心の独占的な対象にならなければならない。

(14)そのために〈わたし〉はひたすら彼／彼女の気を惹こうとする。つまり媚びる。

(15)それは彼もしくは彼女に隷従すること、つまりは彼もしくは彼女の所有物になろうとすることである。

(16)こうして所有主体としての〈わたし〉は、しだいに所有されるべき客体へと転成してゆく。つまり、所有の主体としては消えてゆく。

ひとはだれかを所有しようとすれば、じぶんのほうが所有されることになる。だれかをおのが所有の対象とするなかで、所有主体としてのじぶんの存在が否認されてゆく、抹消されてゆく……。所有の断行が所有のそもそもの可能性を蝕んでしまうとは、なんというアイロニーであろう。

なぜこのようなことが起こるのか。

一つに、こんな理由が考えられる。というかヘーゲルがすでに指摘したことであるが、所有する者は、その意志を対象のなかに反映するちょうどそれとおなじだけ、その対象、つまり所有物そのものの構造によって規定されるということである。所有者が所有物に所有され返すということ、つまり所有するものと所有されるものとの関係がたえず反転するということである。

貨幣所有への欲望、つまりは蓄財が、（守銭奴として）貨幣に縛られることへと容易に反転するように、あるいは、特定の異性をわがものとしようとすればするほど、その異性のふるまいや言葉、表情の一つ一つの変化に振り回されることになるように、ひとはじぶんの所有ではないものをひたすら所有しようとして、逆にそれに所有され返す。こうした反転に抗おうとしてひとが採るべき手は、たぶん二つしかない。一つは、こうした関係の反転が起こらないような所有関係、つまりは絶対的な所有を行使すること。手に入れたとたんにそれを消尽してしまう暴君の無謀なふるまいはその典型的な例である。もう一つは、反転を不可避的に呼び寄せてしまうそうした所有関係からみずからを解除すること。つまりは所有の放棄である。アッシジのフランチェスコから世捨て人まで、歴史をたどればそういった絶対的非所有に取り組んだ例に事欠かない。いずれにせよ、完全な所有はついに所有関係の破綻ないしは清算へと行き着くほかない。

しかしそれ以上に根本的な理由がもう一つ、所有そのものの構造のなかにある。その構造を浮かび上がらせるためには、「所有（権）論」のそもそもから始めるほかない。

民法第二〇六条に次のような記載がある。——「所有者は、法令の制限内において、自由にその所有物の使用、収益及び処分をする権利を有する」。所有の権利とは、その対象の「使用・収益・処分」をなすことができるということだと述べるのである。ある物を所有する者は、それを自由に使ってよいし、使わずに保存しておいてもいいし、ときには破壊しても、廃棄しても、担保に入れても、他者に譲渡してもかまわない。その自由が所有者にはあるというわけだ。そのことが所有権として法によって認められている。

しかしこれには一定の留保が必要である。川島武宜（かわしまたけよし）はその論攷「所有権の「現実性」」（川島武宜著作集・第七巻『所有権』所収）のなかでこう書く。——「民法上の所有権は、現実的な物支配の事実とは無関係に、観念的に、物支配を正当とするところの法律上の根拠――「権原」（title）――にもとづいて、物支配を保護するところのものであり、これに対し、民法上の占有権は、現実的な支配の事実そのものにもとづいて物支配を保護するところのものである」。あるものの所有が所有者の権利として認められるというのは、たしかに当該事物を実際に支配しているか否かにかかわりなくその権利が法的に保護されるべきものであり、それがなんらかのかたちで侵害されれば、「本来あるべき状態への回復」を正当な権利をもって請求できるということである。そのことはしかし、所有権の「本質」からくる「論理的帰結」なのではなくて、あくまで「近代社会の歴史的所産」として成り立ってきたことに留意しなければならないと、川島は言う。そのような所有権の法的保護、つまり「物権的請求権」は、（たとえば借家の問題に見られるように）じつは実際上それを占有する者の「占有訴権」との対立と共存のなかにあるからである。

　所有の権利をめぐるこのような二重性、つまり「当為」（Sollen）と「存在」（Sein）、規範性と事実性という二重性に加えて、さらに所有の権利の重畳性ということも、そこでは指摘されている。一例を挙げれば、耕作地をめぐってもそこには限定された二つの権利が考えられるのであり、それは、地代徴収権（耕作者から地代をとる権利）――上級所有権とも直接的所有権ともいわれる――と、耕作権（これには地代支払い義務がともなう）――下級所有権ないしは利用的所有権といわれる――である。とりわけ、山林や土地など複数者の利害にかかわる物件についてはその処分に強い制限がかけられてきた。このように、民法に定められた所有権はたといそれが例外なしに適用される理念的なものであるにしても、あくまで過去の現実的な支配・利用・管理・占有の事実から理念化されてきたものなのである。

「命に近い仕事ほどお金が動かない」。これは、調理や排泄物処理、子育てや介護、看病や看取り、防災など、人びとの相互扶助のいとなみを念頭に置きつつ、周防大島に住む一農業者がつぶやいた言葉だそうだが、ことほどさように、社会生活が商品交換によって媒介される程度の低いところでは私的所有権の意識は低いし、当為と存在、規範と事実の区別も弱いという事実もよく指摘されるところである（おなじく川島武宜の『日本人の法意識』を参照されたい）。つまり、民法に規定された所有権の理念は、あらゆる事物の価値を均並みに貨幣的な価値へと還元してゆく社会、いいかえれば「売ればいくらになるか」という等価性による媒介が一般化してゆく社会という、資本制社会の歴史的趨勢と連動して成り立ってきたものだということである。

いうまでもなく所有権は、個人の生命と財産を保護する近代法の基幹をなすものであるが、この論理には先にも示唆したように、どこか〝悪魔的〟なところがある。所有権が事物の可処分権（disponibilité）としてある、つまり所有者が事物を意のままにできる、ないしはしてよいというきわめて排他的な権利としてあるというのがその一つであるが、もう一点、その権利そのものが譲渡可能なものであるというところに、ある重大な逆説が含まれているということである。

それは、〈〈わたし〉の有する〉所有権は、これを譲渡しうるという可能性においてのみ、〈わたし〉にとって譲渡不可能でありうるという逆説、いいかえれば、〈わたし〉は所有者であることを止めることができるかぎりで所有者でありえ、所有権（物）を自己の固有ならざるものとして放棄しうるということによってのみ所有権を有するという、ヘーゲルが『法の哲学』のなかで提示し、さらにピエール・クロソウスキーが『ルサンブランス』などの著作において引き継いだ逆説である。ヘーゲルはそれを端的に、次のように言う。——「わたしの意志がわたしに対して現に存在するものとして対象的になるためには、わたしはある所有を所有（物）〔わたしに固有なもの〕としては放棄しなければならない」（第七三節）、と。このような逆説が含まれるのは、所有する者とその対象との関係が、ほんとうは自己がもっぱら「自己に固有なもの」として意のままにしうるという内部的な関係としてではなくて——英語の property、フランス語の propriété、ドイツ語の Eigentum は、そのいずれもが「所有権〔物〕」と「自己固有性」という二つの意味を併せもつ——、交換という事実のなかで、権利として相互的に承認されることによってはじめて可能になるものだからである。所有権は、その「放棄」もしくは「譲渡」の可能性を内含することではじめて成り立つ権利だということである。

ここでいまいちど冒頭のロジックに戻る。恋人たちがたがいを「わがもの」としあうプロセスでの一連のロジックの連鎖、そして反転は、まさにこの、所有権はその「放棄」もしくは「譲渡」の可能性を内含することではじめて成り立つというロジックを、どんどん逸脱してゆくかに見えながら、いたって真っ当になぞりなおしたものだといえる。そして近代法の所有権とは、第一義的には個人の権利を保護する私的所有権（private property）の謂にほかならないから、これは「自己固有性」という property のもう一つの意味にも関連してこざるをえない。〈私〉的ということじたいが自己完結的なかたちではありえなく、〈非-私〉的なもの（=自己を否定するもの）を不可欠の契機として内蔵することなしには成り立たないということである。いいかえると、わたしがみずからを〈わたし〉として定立しうるためには、「わたし」という語、つまりはこのわたしのみならず、だれもが話者としてのじぶんを名指すときに用いる、もはや自己に固有ではない語を不可欠の媒介としなければならないということである。

とすると、「いたぶる／いたぶられる」という、あのマゾヒストがその共演者と上演する劇は、いったいどういう意味をもっていたのか。

他者（＝マゾヒスト）の身体を、当人の意志を踏みにじるようなかたちで支配するというのは、その身体を横領すること、その身体をめぐる他者に固有の所有権を奪い去ること、つまりはその人自身による appropriation（領有）を否認すること、expropriation（所有権剝奪）のことである。そうするとマゾヒストは、じぶんの身体に関する所有権を廃棄すること、つまり所有主体としての〈わたし〉の自己同一性を幻想として破綻させることを意志していたことになる。自／他の境界、身体の内／外を一挙に流動化しようとマゾヒストは企むのだ。他者の身体をじぶんのものと感じ、逆に、制度的には自身のものであるはずのじぶんの身体を異物として感じる……。〈わたし〉という閉域が、あるいは〈わたし〉とわたしの身体とのあいだの内密（プライヴェート）な関係が、破綻してしまうのだ。クロソウスキーは言う、「〈わたし〉が犯しうる最大の罪とは、〈他者〉から〈その〉肉体を奪うことであるよりも、〈わたしの〉肉体に、言語によって制度化されたこの〈わたし自身〉との連帯性を失わせることなのだ」（『わが隣人サド』、豊崎光一訳、引用にあたっては括弧と表記を一部変更している）、と。

おぞましきこのこと、それは《倒錯》である。そしてこの《倒錯》は、可処分権としての「〈私的）所有権」の理念を他者の身体に、さらに翻って自己自身の身体に適用したところに立ち起こったものである。「所有権」という汎通的な理念を、限定なしにあらゆる場面に、とりわけ個人の「人格」と「生命」という、「（私的）所有権」をはじめとする近代法の基本概念のコアをなす部分に、シミュレーションとして仮想的に適用したときに立ち現われたものである。ここには、所有関係の攪乱というより以上に《倒錯》的なことが試行されようとしている。それは、個々の〈わたし〉という制度的閉域を、そのようなものとして閉じられる以前の、ヒトとしての原初の開放系――精神分析学において《感性的多型性》（la polymorphie sensible）と呼ばれてきたもの――へと遡行させるような行為である。ちなみに、谷崎潤一郎『瘋癲老人日記』の七十七歳の主人公は、息子の嫁の颯子に、「颯チャン！　痛イヨウ！」と「マルデ十三四ノ徒ッ子」のような声で訴えるのだった。「ワザトデハナイ、ヒトリデニソンナ声ニナッタ」。

ヘーゲルが、個人の生命とその「内奥」を保護するものとして構築された「（私的）所有権」の核となる部分に、いわばそれ自身を否定する論理を見てとったように、倒錯者もまた（自もしくは他の）身体を所有物として交換する場面、つまりは等価交換の地平を、ひどい苦痛（＝快楽）にのたうちつつ潜り抜けることで、じつはその等価交換のロジックの〈外〉、つまりは交換不可能なものという存在次元へと出るという、そんな逆説を生きようとしたのだろうか。制度を内破するための仕掛け、もしくは模擬芝居として？

3. 使い棄て

近代の「所有（権）」という概念には、「可処分権」、すなわち、あるものをじぶんのものとして「意のままにできること」（disponibilité）という観念が含まれているのであった。disponibilité、英語でいえば disposability である。そして disposal はゴミ箱に印されている語、つまり廃棄物のことでもある。廃棄物とは不要となった物、そしてその裏には、これはじぶんのものだからこれをどう処分しようと本人の自由、棄てたところでだれからも責められる理由はないという、ほとんど自明となった感覚がある。

使い棄てといえば、割り箸や百円ライターのことがすぐに思い浮かぶが、世の廃棄物のなかで途方もない量を占めるのは、じつはまだ使えるものである。食べ残し、あるいは〝衝動買い〟した余計なもの。「断捨離」ということがことさらに言われるほどに、わたしたちの身のまわりには実需要をはるかに凌ぐ量の商品が供給されている。

高度成長のあと久しく、商品が飽和状態を続けている。モノが飽和状態になり、供給元の過当競争になって値引きをせざるをえなくなり利益が減少しだすと、また別の商品領域を開発して利益を上げようとする。新しい商品を作って、消費者のなかにこれまでになかったような〝新しい欲望〟を喚起しようとする。商品の生産を超えて、商品への欲望の生産を図ろうというのだ。生活が「足る」状態になっても、そこから利益が上がるかぎり生産と販売は続けられるのである。

たとえば、衣類という生活必需品。それを「身体を保護する」ための必需品としてのみ着ている人はいない。衣服は、ひとが〝社会〟という場所に出るときの可視的な表面なので、つねに相互の品定めに晒されている。他人の視線、他人の評価、つまりは〝時代の空気〟を読みつつ、それに沿ってたがいにイメージの調整をしあうのである。その意味で、衣類はつねにファッションという水準に置かれている。そしてその水準はたえず更新される。〝流行〟である。だから衣服は擦り切れてもはや用をなさなくなってはじめて廃棄されるのではない。まだ着られるのにもう着られない、つまり〝流行遅れ〟が理由で着られなくなるのである。おなじことはクルマについてもいえる。クルマもまた、まだ乗れるのにもう乗れなくなる。クルマとしてはまだまだ十分に機能していても、おなじ車種がモデルチェンジされると恥ずかしくってもう乗れない、というわけだ。そしてまだまだ十分に使用可能なクルマを乗り換える……。

消費社会。そこでは購買行為は必要＝欠乏（need ないしは want）によってではなく欲望（desire）によって動機づけられている。それなしには生活が成り立たないというよりも、「欲しい」、いや「買わないといけない」という強迫に動機づけられている。欲望の更新、そういうドライヴ（駆動力）が人びとの消費行動にはかかっている。たえざる欲望の更新、欲望の開発に、現代の商品経済は照準を合わせてきた。このように、高度化した消費社会では、モノは使い果たされるのでなく、はたまた使い回されるのでもなく、使い棄てられる。そこでは、「使う」ことが一方向の関係として起こるばかりで、使う者と使われる物との関係の成熟などというものは期待されてはいない。

しかしそもそも消費とは何であったのか。

消費を生命活動の根源に位置づけたのは、かのベルクソンである。植物が採り集め、葉緑素のはたらきを介して蓄積した太陽のエネルギーを、こんどは動物が体内に取り込み、通過させ、運動エネルギーとして消費する。動物はそういうかたちで生を維持している。生きるために、植物を食べ、あるいは植物を食べた動物を食べ、あるいは植物を食べた動物を食べた動物を食べつづけなければならない。「徐々に蓄積し、瞬時に消費する」というのが動物の生命のそもそものかたちである(『創造的進化』第三章参照)。

このような視点にまでいったん立ち返るならば、現在のわたしたちには自明に見える、経済においては「利得の動機が普遍的であるという考え方」(カール・ポランニー)それじたいを再吟味する必要が出てこよう。つまり、営利という動機がはたしてほんとうにわたしたちの経済行為をずっと規定してきたのかという問いである。利得や営利を求めてそのための合理的な行動をとるという《経済的人間(ホモ・エコノミクス)》という人間像が、はたして経済行為そのものの水準においてすら妥当するのかという問いである。

エネルギーを「徐々に蓄積し、瞬時に消費する」というのが動物の生命の実相であるならば、人間の活動もまた「生産と保存」とともに、もう一つ、「支出」という面からも見られなくてはならない。

商品経済においてはたしかに、交換のプロセスは獲得や蓄積という方向をとる。が、「支出」という、非生産的な消費の視点をとれば、たえず利潤の増大と収支均衡とを図る経済原則とはひどく異なった人間行動の側面が浮き立ってくる。

たとえばマルセル・モースはポリネシアなどでなされてきた交易に、ジョルジュ・バタイユは中南米などで見られるポトラッチの習俗に、クリフォード・ギアツはインドネシアで頻繁に催される闘鶏に、それぞれ「贈答」の義務を、「奢侈（しゃし）」という誇示的消費を、「深い遊び（ディープ・プレイ）」という地位を賭けるゲームを読みとる。そしてそこでの、蓄積した富や財産をこれみよがしに贈与する、あるいは破壊する、あるいは廃棄する「支出」、つまりは《消尽》の行為に、モノの交換を包含する社会の象徴的構成を見てとる。

資本主義経済の進展とともに経済のシステムは生産と蓄積とを主軸として駆動するようになるが、それとともに消費はそうしたシステムの機能的一要因とみなされるようになった。奢侈や濫費、葬儀や喜捨、祭礼と贈答、戦争、芸術と遊戯、そして性的倒錯といった行為をつうじて身分や地位、名誉や威信を競う消費行為からなる象徴的領域が、こうして痩せ細っていった。ポランニーはこうした過程を、「社会関係のなかに埋めこまれていた経済システムにかわって、今度は社会関係が経済システムのなかに埋めこまれてしまった」（『経済の文明史』玉野井芳郎・平野健一郎他訳）と描写しているが、その重心を再移動させるような思想動向が二十世紀に入って次々と現われてきたのだ。

《経済的人間》のいわば対極から人間の経済行為を描きだした代表的な著作の一つが、バタイユの『呪われた部分』（一九四九年）だ。彼は、有用性や合目的性を逸脱した「破壊」という利得なしの支出、つまりは「無益な蕩尽」に着目した。「出し惜しみを一切しりぞけ、一般に、競争相手を辱しめ、挑撥し、負い目を負わせる目的で派手に富を進呈する」贈与行為や、「絢爛たる進物を選定して、競争相手の首長の足許に己れの廃棄物のごとく置き捨てる」誇示的行為、さらには生け贄という「血腥い浪費」などを例に挙げつつ、進んで「損失」をなすこれらの行為をつうじて、名誉や威信、階級制内での地位が維持されると考えた。そして、そのような構造的枠組みがビルト・インされた社会では、財産は「いかなる場合にもその所有者を困窮から護る役割を果たさない。それは役割として逆に、社会集団内に風土的状態で存在している度はずれな損失の必要に、所有者とも ども、さらされつづけるのだ」という。そこでは、祭りや集会など共同体の公共的な催しの経費の負担も、もちろん富裕者たちの義務となる。

《消尽》を核とするバタイユの《普遍経済》論やモースの《贈与》論をさらに立ち入って検討することは、ここでの目的ではない。たとえばバタイユは先の引用に続けて、「非生産的消費の、自由かつ大規模な、公共的形態は消滅した」と書いている。ここに見られるような、消費に投げかけられる視線の再逆転に着目したいのだ。

> 退屈きわまる鬱陶しい因襲に則って、今では富の陳列は壁の背後で行なわれる。おまけに、中産階級のブルジョアたち、俸給生活者や、しがない商人が、取るに足らぬ、或いは微々たる財産にこぎつけることによって、誇示的消費の品格をすっかり卑しめ、それはいわば小分けされ、もはやくだらぬ嫉妬と結びついたおびただしい虚栄心のあがきしか残されていない有様である。
>
> （『呪われた部分』生田耕作訳）

これを称して「切り詰めた消費という この屈辱的概念」とバタイユは言う。「古い奢侈プロセスの全般的萎縮」とも言う。冒頭にあげた「使い棄て」の概念も、こうした過程で、《消尽》からたんなる不要物の廃棄へと縮こまってきたのだろう。消費のイメージはいま、とても貧相になって、かじかんでいる。

高度消費社会とも呼ばれる大量消費と浪費の時代に、消費が構造的に萎縮してきたというのは皮肉なことである。それを象徴するような例は、見やすいところでは、とくに個々の身体へのまなざしのなかに集中している。ジャン・ボードリヤールは『消費の社会』（一九七〇年、邦題は『消費社会の神話と構造』、今村仁司・塚原史訳）のなかで、次のような「エル」誌の記事を引いている

――

床に横になって両腕をひろげてごらんなさい。左手の薬指から腕に沿って肘のくぼみから腋の下まで続く目に見えない線を、右手の中指でなぞりなさい。両脚にも同じ線があります。これが感じやすさの線、あなたの『愛の案内図』です。背骨沿いにも、首すじや腹部や肩にも別の愛の線があります……これらの線を知らないでいると、心理的抑圧と同じ現象が肉体に生じます……肉体の敏感でない部分は、思考力が働かない部分と同じで、不幸な部分です……そこでは血液の循環が悪く、気力にも乏しいので、そのままにしておくと蜂窠織炎（ほうかしきえん）（！）にとりつかれてしまうかもしれません……

ここに潜んでいるのは、「肉体への日々の勤めを行わず怠慢の罪を犯すなら、あなたは罰せられるだろう〔……〕あなたが悩んでいるのは、すべてあなた自身〔……〕に対する罪深い無責任のせいなのだ」という「倫理的攻撃性(テロリズム)」なのだと、ボードリヤールはいう。「自分の肉体に熱中し、「内側から」自己陶酔的に肉体に執着せよという提案」なのだ、と。

その「攻撃性」のなかで、人の存在は自身のプライヴェートな身体に閉じ込められ、それに対しナルシスティックな所有権を行使すること――〝美しくあれ〟――を迫られる。他方で、そのような過程で抑え込まれた複数の身体間の交通は、医療や衛生などの超個人的なシステムのうちに囲い込まれ――〝健康であれ〟――、管理される。そのような二極への個人の存在の引き裂かれという図がこうして浮き上がってくる。つまり、性が「私有物あるいは属性として個人に割り当てられ」、他の存在との全体的交通ともいうべき性的交換が、個人の身体の快感の問題へと縮減されているという図である。

エステティック、ジョギング、スポーツなど身体の消費においても、消費の主体となるのはもはや個人ではなく、矮小化された象徴的価値のシステムなのである。そのかぎりで、性的交換も、たがいの存在を簒奪しあい、《消尽》しあうようなものではなく、「制度化された微笑による社会関係の円滑化」の一部とされる。要は、秩序を乱さないようほどほどに、というわけだ。こうして、「欲望の肯定性はすべて欲求〔必要〕とその充足の連鎖のなかに移行し、そのなかで一定の目的へと導かれつつ姿を消す」ことになる。

人びとはモノのみならずみずからの身体をも消費すべく強迫されている。市場の命法が個人という存在の台座にまで入り込んでくる。賃労働というかたちで労働力が売却すべき商品の一つとして「労働市場」を形成し、ジョン・ロックが所有権の源泉とした労働（＝身体の活動）にも緻密に所有権が適用されるようになっている。

労働者だけではない。現代では子どももまた消費の擬似主体として社会にせり出してくる。物品はもとより接客や情報のサーヴィスまでが子どもたちを狙い撃つ。販路拡大のために、つまりは「欲望の生産」のために、子どもを対象とした商品開発を進めるのだ。今日ではコンビニエンスストアやショッピングモールなどがあたりまえのように周りにあって、子どもはもの心がつく頃にはもう、一人前の消費の主体になっている。

子どもが消費主体になるというのは、親の許可をわざわざ得ずとも、じぶんの金で物やサーヴィスを入手できるということである。このことを子どもたちは自由と感じているのだろうが、ほんとうはこのことが子どもたちをある逼塞（ひっそく）状態に追いつめている。貨幣は何とでも交換できる。それで欲しいものを手に入れられる。他人をじぶんのために動かすことができる。まるで自力で得たかのように、である。このことが子どもたちに身の丈を超えるある種の全能感を与えてしまう。身の丈に合わず、何の裏づけもない全能感に、子どもたちを浸してしまうのだ。

そして、お金が足りず、親の援助もなくて、何かを買えないとなると、こんどは逆にこれまた過剰なまでの無能感に苛まれるようになる。なにか事が一つうまく行かないだけで、過剰な無能感に襲われてしまう。買ってもらえないのは家の事情であるが、買えないのはじぶんの限界と思ってしまうのだ。

この全能感と無能感とのあいだの魂の激しいぶれが、子どもをことさら不安定にしている。ぶれが異様なまでに大きくなることで、子どもたちがひどく傷つきやすくもなっている。社会というものに、子どもたちがまずは《買える／買えない》という位相で出会うことがどれほど子どもの魂を蝕んでいるかを、いちどきちんと見ておいたほうがいい。これを別の言葉でいいかえれば、これまで〈所有〉というかたちで問題とされてきたことがらの多くを、可処分権という、物の〈支配〉の言語によってではなく、他者との〈交通〉の言語で語りなおす必要があるということだ。

4．使用の更新

それにしても、使うものと使われるものとの行き交い、それをいわば対話として、あるいは支えあいとして語ることはほんとうに可能なのか。使い切るよりも、さらに使い倒すよりも先に使い棄てる、買い替えるという風潮のなかで。使い棄てるのではなく使い回すこと、使い果たすこと、それが可能な局面というのはいまなお可能であるか。

ぼくらはあふれるほどたくさんの物にかこまれてくらしている。なのに、いつも何かが足りない気がするのはなぜだろう？　ぼくらが買った物は、ぼくらの時間を受けとめきれずに使い捨てられていく。物と一緒に、ぼくらの生きた時間も消費されていく。

棄てられた飲料アルミ缶やビニール袋、くたびれた鍋や色の剝げた洗濯ばさみ、夥しい枚数の食べ残しの写真……。そんながらくたが所狭しと並べられ、掘っ立て小屋やその備品として組み立てなおされる。二〇〇五年に開催された国立民族学博物館の特別展「きのうよりワクワクしてきた。――ブリコラージュ・アート・ナウ　日常の冒険者たち」のカタログに、企画者のひとり、佐藤浩司が書きつけた言葉だ。

　買った物が「ぼくらの時間を受けとめきれずに使い捨てられて」ゆく。物とともに「ぼくらの生きた時間も消費されて」ゆく……。作ったもの、作ってもらったもの、それらを道具として使い込み、使いこなす前に、使い心地がわるいと買い替える。道具を使い、手入れし、使いこなし、さらに手直しし、やがて使い切るまでもたすということをせずに、その前に新しい別のものに買い替える。そこには道具との「話し合い」も、道具をとおしてのまわりの物たちとのつばぜり合いも、さらにはやむにやまれずの転用・借用も、見当たらない。役に立たなくなれば買い換えればいい。そのような使用の場面に見いだされるのは、当座（in sight）の機能の消費だけである。

　この使用には、使い込む、使いこなす、使いとおす、使い切る、使い尽くす……といった、使い終えるまでの呻吟の時間がない。そうした使用の生きた階梯を歩み抜く、そのプロセスがあらかじめ削除されている。賞味期限、使用期限、耐用期限。それらが機能のほうからのみ規定されている。それとともに、使われる物だけでなく、使う者の生そのものが機能の消費に約められたまま、しだいに疲弊してゆく。朽ちてゆく。そこには成熟といったものはなく、したがってまた老練の知恵も発揮されようがない。
　食うことも着ることも住まうことも、手元にある素材でなんとかやりくりする、そんな賄いが、かつては生き存（ながら）えるための基本としてあった。生きるとは、そういうブリコラージュ的な対処の連続のことであった。が、ひとはいま、食材のみならず調理サーヴィスまで買う。衣服を新調する。家をローンで手に入れる。おなじように、道具もほんらい、ひとが少しでも確実に生き存えるために編みだされた。が、その生き存える力がこの道具の消費のなかで衰弱してゆく。道具は使いこなされないままに劣化して、新品に交換される。そこには機能の消費だけがあって、物を使い果たすということがない。手入れし、手直ししながら使いこなすという、使用の成熟がない。修繕はなく、消費（＝消尽）だけがある。

　いうまでもなくこれは、「つくる」ことの衰弱でもある。「文明」の進化とともに、ひとは「つくる」手間を省いて、「つくられた」ものを買うほうに関心を移していった。家や車はもちろん、日用の道具も料理も、作るのではなく購入するようになった。製造と流通のシステムに「つくる」ことのほとんどを託すことで、ひとは「ホモ・ファーベル」（工作人）から「消費者」へと座を移していった。便利に、そして快適にはなった。が、そうしたシステムに漫然とぶら下がっているうち、「つくる」という、人としての生存の基本となる能力を損なってしまった。気がつけば、調理すること、工作すること、家を建てることはおろか、排泄物を処理することも、赤子を取り上げることも、病む人を癒すことも看ることも、遺体の清拭（せいしき）や埋葬も、みずからの手ではできなくなった。いのちを繋ぐために世代から世代へと伝えられてきた技もひどく損なわれていた。

そして、そのような技の根絶やし状態をとことん思い知らされたのが、つい9年前のこと、生存の技法ではなく、生存の公共サーヴィスのシステムが停止もしくは破綻したあの東日本大震災のときだった。想定を超えた災害と事故という、公共の、あるいは企業のサーヴィスがもはや及ばぬ〈外〉に突然見舞われたとき、それに処しうる技もなく、人びとはただ茫然となるばかりであった。それは、ある意味では被災地よりも公共・企業のサーヴィス・システムへの依存性がはるかに高い、いいかえるとみずからつくることなく、ひたすら生活物資とサーヴィスとを購入することで生活の基盤を形成してきた関東の大都市部において、いっそう甚だしかった。そこには金で買われ、使用されるだけの仕組みばかりがあって、みずから道具やサーヴィスを生産する仕組みが朽ちていた。

しかもその仕組みにあっては、使う側の機能・用途でその構造がすべて決定されているのであった。自然の材質に問いかけ、それに工夫をくわえて使えるものにする、そういう可塑的な思考が潰え、手元にある(sous la main)ものを使って手作り(fait à la main)する、そういう賄いの知恵ももはや働きださない。使い尽くされ、がらくたとなったモノの既存の脈絡を外して、あらたに別の全体を構築しなおすブリコラージュの技が不能となっていることを思い知らされた。

では、ここからわたしたちはどのように回復してゆけばいいのか。

ブリコラージュの技は、「これはいつか何かの役に立つかもしれない」という、予断ともいえる判断によって養われている。何に使えるか、さしあたっては明確にわからないが、いつか何かの役に立つだろうという、あらかじめなんの験証もなされていない判断だ。この判断は、何に役立つかいまのところ判然としないままに、眼の前にあるモノのいくつかを、とりあえず、いつか使えるかもしれないものとして取っておく。そしてあるとき、状況にある欠落が生じたときにふと、とっさの思いつきでその役を務めさせるべく召喚するのだ。

このとき、とっさの思いつきはどこから出てくるのか。既成のレシピにないのだから、おそらくは予想もしなかった仕方であろう。が、素地がなかったわけではない。というのも、いま何かあるモノが眼の前にある相貌をもって現われてくるとき、その周縁に明滅しているモノにも人は意識を漂わせる。「何か全貌がわからないが無視しえない重大な何かを暗示する」（中井久夫）ものを息をひそめてうかがいつづけるのだ。過去の経験をおぼろげに再生しつつあたりをつけたり、対象の周縁で微細に見え隠れする何かの徴候にアンテナを張ったりして、いつでもどんな事態にでも臨機応変、とっさの対応が可能なように、気配を探っているのだ。過去からの報せと、未知のものからの兆しを受け容れるべくつねに意識の領野を拡げておく。するとあるとき、飽和状態にある液体に小さな破片を入れると液体の全体が突如結晶するのとおなじように、経験の体制のある変換が起こる。つまり、経験のフォーマット、ないしは行動の初期設定が変わってしまうのである。「使える」という判断は、たいていはこのように思いがけぬ仕方で起こる。

使用のなかでは、このように使用者の自己更新がたえず起こる。使用する「者」のこの自己生成こそ、使用を内から支える原動力であることをここでいまいちど思い起こそう。

使用とはモノとの相互的なやりとり、つまりは「対話」であるというのは、考えようによってはすでにいろんなかたちで言い古されてきたことであるが、その多くが使う主体と使われるモノとの相互浸透的なやりとりに注目する。

たとえばガブリエル・マルセル。『存在と所有』（一九三五年）のなかの「所有の現象学素描」と題された章において――ここでの「所有」は、ひとがある権利をもって何かをわがものとしてもつこと、つまり《所有権》の意味の propriété ではなく、使うことを含め、ひとが何かを〈もつ〉ことそのことのなかで起こっていることがらを分析しているので、以下ではここで「所有」と訳されている avoir をあえて「もつ」と訳しておく――、彼は〈もつ〉の二つのあり方を区別している。「占有としての〈もつ〉」（l' avoir-possession）と「包含としての〈もつ〉」（l' avoir-implication）である。

何かを〈もつ〉ということはたいてい、すぐに何かをじぶんのものとして所有することに結びつけられる。そして何かがじぶんのものであるというのは、それをじぶんの意のままにできる（pouvoir disposer de）ことを所有者の権利として含むとされる。しかし、とマルセルはいう。この何かを意のままにできるということにはわたしたちの身体が深く関与しているが、あらためて考えれば、「わたしが事物を意のままにすることを可能にしてくれるその当のものが、現実にはわたしの意のままにならない」ものなのだ、と。所有ということにはこのような不随意性（l' indisponibilité）、つまり当人の意のままにならないことがついてまわる。そのことを指摘したうえで、マルセルは〈もつ〉ことをめぐって、先にふれた「占有としての〈もつ〉」と「包含としての〈もつ〉」という区分を導入する。

まず前者は、主体が何かを意のままにできる、つまりは自由処分可能（disponible）なものとしてわがものとする、そういう〈もつ〉のあり方である。このとき、わたしが所有するものはあくまでわたしの外部にあって、わたしの存在そのものにとっては偶然的である。次に後者の「包含」としての〈もつ〉は、所有されるものがたえずわたしに巻きつき、わたしを侵蝕し、そうしてわたし自身に所有という水準そのものを超え出させてしまうような、そういう〈もつ〉のあり方である。

見やすい例としてよく挙げられるのが、ピアニストの演奏だ。名ピアニストとよばれる人にあっては、演奏されるピアノはもはや演奏において使用される道具ではない。演奏者がピアノを使って楽曲を奏でるというのではなくて、むしろ演奏者の指先とピアノとが接するその場所で、音楽が演奏者をも包含してみずからを奏でている、といったぐあいである。ここではピアノを弾く者がそうした演奏者としての自律性を失って、「存在のなかに、いいかえると自己の手前（あるいは自己を超えたところ）、つまりおよそありとあらゆる〈もつ〉を超え出た地帯に根を下ろした」真の意味での「自由」へと向けて自己を超えてゆくのだとマルセルはいうのだ。

この演奏については、M・メルロ＝ポンティがマルセルとおなじimplicationという概念を使って、オルガン演奏を例にいっそう綿密な記述をおこなっている。メルロ＝ポンティは、「どのようにして所作の音楽的意味が或る一つの局所において炸裂し、ついにオルガン奏者はすっかり音楽に身をまかせて、その音楽を実現しに来る音管やペダルとまさに一体となるにいたるのか」と問いつつ、次のように述べている。

彼は腰掛けに坐り、ペダルを操作し、音管を引き、楽器を自分の身体に合うようにし、楽器の方位や大きさを自分の身体に合体させ、あたかも家のなかに収まるように楽器のなかに収まる。

各音管、各ペダルに関して彼の学ぶところは、客観的空間におけるその位置ではなく、それらのものを彼が委ねるのも、それらについての自分の〈記憶〉にたいしてではない。演奏中でも反覆演奏中でも、音管やペダルや鍵盤は、彼にとってはそれぞれの情動的または音楽的な価値の諸力としてのみあたえられ、またそれらのものの位置も、その価値が世界内にあらわれて来る場所としてのみあたえられる。楽譜面で指示されているような楽曲の音楽的本質と、実際にオルガンのまわりで鳴りわたる音楽とのあいだには、きわめて直接的な関係が確立されていて、その結果、オルガン奏者の身体と楽器とは、もはやこの関係のあいだの通過点でしかなくなっている。そうなるともう、音楽はそれ自体で存在し、音楽によってこそその他の一切のものも存在する、ということになる。〔……〕それらの〔オルガン奏者の〕所作は感情的なヴェクトルを張りわたし、情動的な源泉をあらわにし、あたかも占師の所作が聖域 templum を棒で劃するように一つの表出空間を創造するのである。

（『知覚の現象学1』一九四五年、竹内芳郎・小木貞孝訳）

オルガン演奏においてはこのように、弾く者の身体、より正確には嵩ばり（ヴォリューム）としてのその身体空間とその周囲世界との相互的な「含みあい」――ここで implication は一方による他方の「統合」や「所有」ではなくあくまで相互蚕食的な関係であるので、「包含」ではなく「含みあい」と訳しておく――のなかに音楽が立ち上がってくる。まさに演奏者の身体とオルガンとがたがいに蚕食しあいつつ一つに縫いあわされるところに、音楽は生成するのである。そのとき、演奏者はオルガンを使う者というよりもむしろ、音楽に使われている者としてあると、そのようにすら言えそうである。ここからさらに、演奏者（オルガンの使用者）は、オルガンを弾くに先立って演奏者としてあるのではなく、まさにオルガンを弾くなかでじつはみずからもその使用者となってゆくのだと言うこともできそうだ。

先に使用をめぐっては器官と機能の関係を逆転させる必要があると述べたのも、こういう事態を念頭に置いてのことである。おなじことをジョルジョ・アガンベンも、『身体の使用』（二〇一四年、上村忠男訳）のなかで、こう述べている。人間は「なにかをおこなったり作ったりする能力の超越的な有資格者なのではない。彼らはむしろ、自分たちの四肢と自分たちを取り巻く世界を使用するなかで、そして使用するなかでのみ、自己を経験し、自己を（自己と世界の）使用者として構成する生きものなのだ」と。ちなみにメルロ＝ポンティは右のオルガン演奏をめぐる記述に小さな注をつけ、マルセル・プルーストの『失われた時を求めて』から次の二つの文章を引いている。

《あたかも演奏者たちは、その小楽節を演奏しているというよりはむしろはるかに、その小楽節があらわれ出るためにその小楽節から要求されていた儀式を遂行しているかのように思われ、……》

《ピアノの叫びは非常に突忽（とっこつ）だったので、ヴァイオリニストの方はそれをひきとるために、大急ぎで自分の弓にとびかからねばならなかった》

メルロ＝ポンティは、これは身体がそもそも「表現空間」として成立しているからだという。オルガン奏者にとって、手は、あるいは足は、彼が用いるべき自身の存在の物体的部分として目の前にあるのではなく、逆である。つまり「オルガンという空間のなかに音楽的意味を配置する」まさにそういう表現の運動によってはじめて、「〔音楽という〕意味が一つの場所をあたえられて外部に投射され、意味がわれわれの手もとに、われわれの眼下に物として存在しはじめるようになる」のだ、と。

本稿の冒頭近く、1-2で、幼児が鉛筆を持って字を書くという行為を時間をかけてようやく身につけるやいなや、書くという身体使用のこの〈式〉は一挙に身体のあちこちの部位に変換可能なものへと一般化されることにふれた。その子は以後、腕全体を使って黒板に書けるようになるし、校庭に出て足で、腰で字を書くこともできるようになる。そのような一般〈式〉が身体の嵩(かさ)ばりのなかにさまざまなかたちで定着してくることが習慣を身につけるということであり、この身体の嵩ばりこそが「他の一切の表出空間の根源」ないしは「意味の核」として、ある音楽的意味をその場所に生成させるのである。「身体の空間性とは、身体の身体的存在の展開であり、身体が自己を身体として実現するその実現の仕方(マニエール)であ」り、そうした身体と外部空間との一般的な「含みあい」の構造がここでは音楽という表現へといわば「転調」されているということなのである。

しかもこの「含みあい」は、目の前のオルガンとの関係において生成するだけでなく、身体のさまざまな部位のあいだにも起こっている。身体の諸部位は等価のものとして並立するものではなく、つねにある行動、ある表現に向けてたがいに含みあいつつ、そのつどある態勢を組むのであって、だからこそ書くという〈式〉は指先から腰へと、足へと転移しえたのである。

これと響きあう文章が、詩人の長田弘(おさだひろし)の小さな随筆のなかにある。『幼年の色、人生の色』(二〇一六年)に収められた「チェロ・ソナタ、ニ短調」という文章だ。その文章を彼は次のように書きだしていた。

結局、大きさなのだと思う。ひとのもつ微妙な平衡感覚をつくっているのは、そのものがそのものとしての正しい大きさをもっていると信じる、あるいは信じられるということだ。正しい大きさの感覚が、認識を正しくするのだ。帽子は、帽子としての正しい大きさをもっていて、帽子であり、クロッカスはクロッカスとしての正しい大きさをもっていて、クロッカスであり、犀（さい）は、犀の正しい大きさをもっていて、犀だ。

そしてこの「正しい大きさ」とは、どこまでも「ひとの大きさ」の感覚に根ざし、そこに展開するさまざまの正しい大きさのあいだの「均衡」のことだとしたあと、ミッシャ・マイスキーの独奏にふれ、彼は「じつに愛しそうに、チェロを抱いて弾く。まるで音楽を愛するというのは、一人のチェリストにとって、チェロの正しい大きさを愛することなのだというふうに。ひとのもつ全体の感覚を、いま、ここに生き生きとよびさますのが音楽ならば、そのショスタコーヴィチのチェロ・ソナタ、ニ短調がまさしくそうだった」と、この短い随想を結んでいる。やはり詩人の文章だとおもわせるのは、ヴィデオやスマホなどでたやすく物の大きさをさらに拡大したり縮小したりすることがあたりまえになっているなかで、正しい大きさの認識がすこぶる弱まってきているだけでなく、「想像されたものの正しい大きさの感覚もまた傷つけられている」と憂えているところである。「誰も一角獣を知っていて、誰も一角獣の正しい大きさを知らないのだ」と。

ところで、implicationとは襞（pli）を内へ（in）と折り畳むこと、閉じることである。その意味で演奏者はオルガンをみずからの身体の嵩ばりへと包み込んだわけである。これはしかし、逆の言い方をすれば、その身体の嵩ばりが音楽へとその襞を開いていったということ、つまりはexplication、音楽へ向けてその襞（pli）を外へ（ex）と解いていったということでもある。このように、わたしたちの身体はつねに、みずからを閉じたり開いたりしながら、周囲の世界と折りあいをつけようとしてきたのだ。ちなみにexplicationには解釈、説明、解明といった意味のほかに、俗語で話をつけることという意味もある。そういう不断のやりとりというか、周囲世界との交渉と調整のなかで、わたしたちはその生をいとなんできた。まさに臨機応変に、である。しかも、いま所作や表現というかたちで実現されている身体の構造化のプロセスをさらにこんどは比喩的な次元へと移行させ、（ダンスがそうであるように）「その最初の所作を通じて一つの新しい意味の核を表示」してもゆく。この「含みあい」は一つの表現空間へと閉じてはいないのだ。

そしてあらためてブリコラージュ（器用仕事）に戻れば、「これ、まだ使える」（もったいない）という慎ましい経験人の知恵にしても、「これ、使えるんじゃない?」という、未知の表現や制作に向かうアーティストの開かれた感覚にしても、それをそうした「含みあい」の構造の変換や拡張とみなすことができる。となれば、ブリコラージュにみられるさまざまなモノの用途変換（転用や借用）や、そのなかでの意表を突くような新しい「目的」の出現といった、使用のなかをよぎるさまざまの逸脱や過剰も、じつは身体という嵩ばりにおける襞の開閉（implication/explication）や行動〈式〉における転移といった現象に、どこかで繋がっているはずだということになる。器用仕事の源泉は身体にある、あるいは、器用仕事は身体を編むという出来事に根ざしている。

　いまいちど演奏者と彼が弾くオルガンとの関係を思い起こせば、演奏者の身体がその嵩ばりのなかへとオルガンという外的存在を包み込んでゆくプロセスであると同時に、その身体の嵩ばり（ヴォリューム）が音楽へとその襞を開いてゆくプロセスでもあった。身体とオルガンとが〈音楽〉という空間、〈音楽〉という新しい次元でたがいを含みあい（implication）、たがいの襞を開いてゆく（explication）、そういうプロセスとしてあるのであった。であれば、オルガンの演奏とはけっして身体（機能）のたんなる拡張、つまりはそれへのオルガンの包含や編入ではなく、身体と周囲世界とを二つの項とする新たな一つの〈系〉への移行だということになる。それは身体機能のシームレスな拡張なのではなく、いわば不連続の変換であり、転位であることになる。鉄道や自動車が走る能力の、電話やインターネット通信がコミュニケーションの能力の、拡張ではなく構造変換であり、変質であるように。メルロ＝ポンティも『知覚の現象学』第二部（竹内芳郎・木田元・宮本忠雄訳）において、おなじ事態が感覚においても見られるとし、こう述べている。

> 感覚する者と感覚されるものとは二つの外的な項のようにたがいに面と向い合っているのではないし、また感覚は感覚されるものが感覚する者のなかへ侵入していくことでもない。色をささえるのは私のまなざしであり、対象の形をささえるのは私の手の運動なのである。あるいはむしろ、私のまなざしが色と、私の手が固いものや軟かいものと**対に**なるのであり、感覚の主体と感覚されるものとのあいだのこうした**交換**においては、一方が作用して他方が受けるとか、

一方が他方に感覚をあたえるとか言うことはできないのだ。私のまなざしや私の手の探索がなければ、また私の身体がそれと共時化する前には、感覚の対象は漠然とした促し以外のなにものでもない。

（傍点は引用者による）

感覚するものと感覚されるものとが「対」になっている。「対になる」とはs'accoupler。ここには「つがう、まぐわう」という意味もある。「対になる」というのは、フッサールの「対化」（Paarung）――英語でいう「ペア」（つがい）になること、つまりカップリングcoupling――という概念に由来するもので、その再帰動詞sich paarenにもおなじように「つがう、まぐわう」という意味がある。そして「対になる」ことがここでは「交換」（échange）ともいわれている。交換されるもの、それは一方で「運動」というわたしの身体によるはたらきかけであり、他方で「促し」というモノからのはたらきかけである。その「促し」は向こうから、いいかえれば（抵抗も含めて）モノの構造のほうから、（わたしたちが先に見た例では）天秤棒や艪において生じる反動力として、やってくる。その交換によって「運ぶ」こと、「漕ぐ」ことが可能になる。モノの使用とは、使用する者からの一方的な支配や操作ではなく、モノからはたらきかけを受けるということでもあるのだ。

使用がこのように身体とモノとの「含みあい」（im-plication）という出来事であるなら、演奏者（オルガンの使用者）は、オルガンを弾くに先立って演奏者としてあるのではなく、まさにオルガンを弾くなかでみずからもその使用者となってゆくのだということになる。オルガンのあるその場所に「音楽的意味」が立ち上がることと、身体が音楽へとその襞を開いてゆくこと（ex-plicatiton＝襞を外に向かって展くこと）とは、おなじ一つの出来事になる。使用は、モノからの促しを受けつつもたえず当初の意図をはみ出てゆくような逸脱、つまりは《使用の過剰》を内に宿しているのだ。世界とそのように「話をつける」こと、（建築であれば）「木の力と工人の知恵の合作」（西岡常一）を成就し、さらにそれをたとえば手入れや手直しという仕方で不断に更新してゆくことが、使用の基本のかたちであった。そしてそのなかで「何かに使える」というときの「何」、つまりは使用目的もまた、臨機応変、融通無碍にずらされ、拡張ないしは拡散されてゆく。そのような意味で、使用こそ文化を生成させるエンジンなのである。

5. 煮えこぼれ

使用というエンジンは、ではどこへと向かうのか。わたしたちをどこへと導いてゆくのか。使用が、ただ気まぐれにずらしや逸脱をくり返すというだけでなく、あるいはモノたちの世界をじぶんたちに都合よく変形したり、操作したりするのでもなく、正しくはたらく（work）としたら、それは何処に向けてか。それは文明の意味にかかわることがら、つまりは解がすぐには見つからない問い（open question）であるほかない。が、ここでわたしたちは、ウィリアム・ジェイムズの言葉を借りて、「導かれる価値のある方向へ導くこと」（leading that is worth while）と言うほかないのだろうか。

あらためていうまでもなく、ジェイムズのプラグマティズムこそ、観念や信念の真理をその「使用」（use）と「帰結」（consequences）において問いただす思想であった。「ひとつの観念ないし信念が真であると認めると、その真であることからわれわれの現実生活においていかなる具体的な差異が生じてくるであろうか？」。これが、プラグマティズムの真理観を凝縮した問いである。ただその問いを、「経験界の通貨にしてその真理の現金価値（cash-value）はどれほどなのか？」とわざわざ言い換えたために、多くのスキャンダラスな反論を招き寄せることにもなったのだが、ジェイムズは同時に、真理は「導き」の問題であり、真なる観念ないしは信念が導くところは「実在との一致」だと、ある意味古風な言い方もする。

その「実在との一致」とは何か。ジェイムズは「一致」を、真理論でこれまで言われてきた「知性と事物との合致」（*adaequatio* intellectus et rei）ではなく、あくまで agreement〔同意〕と表現している。その一つを『プラグマティズム』（一九〇七年）から引いてみれば、「実在との一致」とは、「実在ないし実在と結びついた何物かを、一致しない場合よりもよりよく扱えるような、実在との作業的な接触（working touch）にひきいれられるということ」（桝田啓三郎訳、傍点は引用者）としている。ここでジェイムズが言おうとしているのは、真理とは観念に内属しているなにか「動かぬ性質」のようなものではなくて、むしろ「観念に起こってくる」（happen to an idea）ものだということだ。観念は真であるのではなくて、真になる。つまりは観念にとって一つの「出来事（イヴェント）」、一つの「過程（プロセス）」だというのだ。これを言い換えれば、「実在との一致」——このagreementを先のわれわれの言葉でいえば、（実在と）折りあう、「話をつける（エクスプリケ）」ということになろう——は、わたしたちの経験にとって「既成」（ready-made）のものではなく、つねに「いまなお形成中」（still in the making）のものだということである。

じっさい、「真理の圧倒的な多数はそのような験証されていない真理なのであって、われわれはそれを頼りに生きている」ともジェイムズは書いている。「われわれがそれを頼りに生きている真理」（the truth we live by）こそが問題なのだと。そこにおいてわたしたちは invaluable な道具を手にするのだと。invaluable とは「計り知れないほど貴重な」という意味であって、まちがっても「評価不能」という意味ではない。ここでの接頭辞 in はあらかじめ計りえないという意味の否定辞であって、だからこそ真理は観念に起こってくるといわれたのである。

プラグマティズムは真理をその有用性（usefulness）において問う思想である。が、その意味の核心は次のようなところにある。

> 「真なるもの」とは、うんと約（つづ）めていえば、われわれが思考を進めるうえで重宝する（expedient、役に立つ）というだけのことである。それは「正しいもの」が、ひとが何か行動を起こすときに役に立つのとまったくおなじことである。それは、ほぼどんなかたちであっても役に立つということであり、つまりは長い眼で見て、また全行程から見て役に立つということなのだ。というのも、目下の（in sight）すべての経験に対処するのに役立つものが、以後のすべての経験におなじように満足のゆく仕方で役に立つとはかぎらないからである。だれ

もが知るところだが、経験とは**煮えこぼれる**ような性質をもつものであって、われわれの現在
の方式を修正するよう迫るものなのである。

（引用者訳）

「煮えこぼれ」（boiling over）。つまりは横溢。これこそわたしたちがこれまで《使用の過剰》と呼んできた、あの経験の駆動力にあたると考えてよい。それは伝承されてきた使用の規則、もしくはシステムに引き入れられてはじめて駆動するのだが、それじたいはつねに規則やシステムの〈外〉にあるものである。横溢であり、逸脱であるのだから、もちろん「導き」において道を違(たが)えることもある。使用の対象を使用者の都合で操作もしくは統御可能と思い込んだりもすれば、対象の所有権を所有者の「自由処分権」（それは**わたしの**ものだからそれをどうこうしようとわたしの勝手だという、勝手な考え方）ととり違えたりもする。そのかぎりで、「使用」はつねに試行錯誤（try and error）なのである。

が、エラーへの対応が次にとるべき道筋を示しもする。鶴見俊輔はそれを「方向感覚」と名づけ、次のように述べている——

真理は間違いから、逆にその方向を指定できる。こういう間違いを自分がした。その記憶が自分の中にはっきりある。こういう間違いがあって、こういう間違いがある。いまも間違いがあるだろう。その間違いは、いままでの間違い方からいってどういうものだろうかと推し量る。

ゆっくり考えていけば、それがある方向を指している。それが真理の方向になる。〔……〕真理を方向感覚と考える。その場合、間違いの記憶を保っていることが必要なんだ。

（『日本人は何を捨ててきたのか——思想家・鶴見俊輔の肉声』、二〇一一年）

となると、「使用」こそ「学び」の原型だと考えても、それこそ間違いではない。じっさい、ブリコラージュとおなじで、眼の前にあるモノをいつか何かの役に立つかもと合切袋に入れておくように、これを知っておくことが何の役に立つかいまはわからないが、とりあえずいったんは「習っておく」というのが学びというものだからである。

おわりに

重要なのは「導かれる価値のある方向へ導くこと」だと、ジュイムズは言っていた。その「導き」も、「実在」と折りあいつつ、話をつけつつというかたちで、つねに「いまなお形成中」のもの、「煮えこぼれる」ものだとしていた。しかし、まちがってもそれは、わたし（たち）が自由にできるもの、あるいは領域の拡張ということではない。陶芸における土との対話、木造建築における木との対話、運搬における棒との対話などにうかがわれたように、そのプロセスは作業のなかで生まれるものである。「つくる」「つかう」という人のいとなみが道具や素材と応答しあい、それらがいわば共鳴するように仕向ける、つまりはたがいの潜勢力をいわば解放するかたちで生長してゆくものである。「これは使える」というとっさの判断も、まさにそうしたなかで生まれる。「つくる」「つかう」とは、そういう意味で〈探究〉のプロセスであり、さらにティム・インゴルドの言葉を借りれば、「実験」のプロセスなのである。彼は言う。これは「自然科学においてあらかじめ立てておいた仮説を試すという意味ではなく、また、頭のなかにある観念と地上にある事実との対比という工学的な意味での実験でもない。それが導くところへみずからを開き、つき従っていく状態にあるという意味での実験性である」と（『メイキング』（二〇一三年、金子遊・水野友美子・小林耕二訳）。その意味では、職人たちの「うで」にはまさにこうした「実験」の歴史とその記憶が畳み込まれているといえる。

ひとは家族や仲間とともに生きのびてゆくために、土を耕して米や豆や野菜を作り、そのために使う道具を作り、身につける衣裳を作り、物を運ぶ車や船を作り、雨風と夜露をしのぐ家を造ってきた。体を使って何かを作ること、ずっとここに、生きることの基本があった。が、近代の産業社会は、この「作るヒト（ホモ・ファーベル）」を「買うヒト」に変えてゆく。「作る」手間を省いて、作られたものを「買う」ほうへ身を移していった。生活の手立てのほぼすべてを製造と流通のシステムに委ねることで、サーヴィスの購買者もしくは消費者へと、である。とどのつまり、〈探究〉というみずからの能力を損なっていったのである。

　便利である。より快適になった。が、そうしたシステムに漫然とぶら下がっているうち、「作る」という、生業の基本ともいうべき能力を損なってしまった。体を使い何かを作るのではなく、金を使い物とサーヴィスを買うのが、生活の基本となった。そのことで体は自然とのじかのやりとりを免除され、いわば仮死状態に置かれることになった。

　震災のような緊急事態になってあらためて思い知らされたのが、まさにこのことだった。調理すること、工作することはおろか、排泄物を処理することも、赤子を取り上げることも、遺体の清拭や埋葬も、わたしたちはみずからの手ではできなくなっているという事実を、いやというほど思い知らされた。生きものとしてのヒトのいのちが周りの世界とのやりとりのなかにあるかぎり、いうところのサーヴィス社会では他の生きものたちとのじかの交換も、同様に免除されている。いや、免除というより解除といったほうがいいだろう。〈探究〉も「実験」も縮こまるばかり、ジェイムズのいう「煮えこぼれ」の対極にあって、わたしたち自身が社会の製品のようになっていた。

その震災のあと、わたしは、あの、人と道具と素材とのコンヴィヴィアルな連繋のプロセスの喪失を思い知らせる、あるいはそのプロセスが眠りからしずかに目覚める、そのような二つの体験を知ることとなった。その二人の女性の体験は、本書「つかふ」の議論が行き着いたその地点から向かうべき方向――ジェイムズの言っていた「導かれる価値のある方向」――を暗示するものと強く思われるので、それを最後に掲げておきたい（以下の叙述は、わたしもそのスタッフの一人であるせんだいメディアテーク主催の展覧会《コンニチハ技術トシテノ美術》（二〇一七年）に寄せた「不能の表出」という文章の一部とほぼ重なるが、本稿の元になった「つかふ」の連載を終えたその直後のことであり、本稿のしめくくりのような思いも込めて書いたものなので、重複をお許し願いたい）。

そのひとり、東日本大震災時に「東京」で研究生活を送っていた歴史社会学者の山内明美さんは、著書『こども東北学』（二〇一一年）でこう書いている――

　放射能汚染の不安が日本社会を覆いはじめたとき、わたしがいちばんはじめに感じた違和感は、いま起きている土と海の汚染が、自分のからだの一部で起こっている、ということを誰も語らないことだった。遠くの災いみたいに話をしている。

宮城県で産まれ育った山内さんは、東北には「ケガチの風土」があると書く。地元の人たちは「ケガヅ」と言うそうだが、ケ（日常）の暮らしに欠くことのできない食糧が欠けがちであるという意味である。長く冷害や日照り、大雪や津波にくりかえし苦しみ、飢饉の不安に苛まれてきたこの風土にあって、土に雨水がしみ込むことをじぶんの体が「福々しく」膨らむことと感じる、そうした土や海と人とのつながりへの深い思いを、この地の人びとは分かち持ってきた。いいかえると、「土や海が傷ついたなら、それをちゃんと回復してやることが、そこで暮らしをたてていくために、なにより大事なことだった」。そういう人たちであれば、土や海の汚染もわが痛みとして感じたはずだというのである。あの原発事故による放射能汚染は、その東北という地では、農業や漁業、つまり人と土や穀物・野菜との、人と海や魚とのつながりを断ち、一方、「東京」という地では、人びとに食糧の安全に神経をすり減らさせることになった。その事実に向きあうなかで山内さんは右の文章を綴った。傷つけられた土や海の「痛み」をじぶんの体のそれとして感じられない、その「鈍感」を思い知らされたのだった。「自分のからだが土にも海にも、そしてコメにも、いもにもなりうるという感覚」が「わたしたちには、ない」と。

おなじことはじつは「作る」ことにおいても生じていた。「作る」は「ものづくり」へと純化されて、「創る」(つくる)こととして神棚に上げられていった。そう、匠の技として、道具が工芸品や美術品にまつりあげられていった。用いられるはずのものが鑑賞されるものになった。道具は、用いられるものとして、人びとの繋がり、物たちの連なりに根を生やしていたはずなのに。こうして「作る」こともまたわたしたちから遠ざかっていった。

このことは「使う」ことの痩せ細りをも招いた。道具は人がじっくり使いこなすものではなくなり、「使う」はお金を使うことに縮こまっていった。「使う」というのは何かを手段として利用するだけのことではない。人は物だけでなく他の人も使うが、それは簒奪や搾取ばかりではない。おんぶしてもらったり、凭れさせてもらったりもする。人びとはたがいのそうした深い依存、深い交感から身をもぎ離して、それらにじかに触れることを怯えるようにさえなっている。いってみれば、存在の《萎縮》である。

言葉こそ違え、おなじこの違和感に向きあうのが、美術家の鴻池朋子(こうのいけともこ)さんだ。彼女は著書『どうぶつのことば』(二〇一六年)のなかで、震災後、じぶんがこれまで取り組んできた〈芸術〉をもはや「自由」や「自己表現」といった悠長なことばでは語りえなくなったという。〈芸術〉の現在を、知らぬまに仮死状態になっていた〈動物〉としてのじぶんと切り離せなくなったと。そして猟師の世界にふれ、猟師の顔がときに動物のそれに見えることに衝撃を受ける。猟師たちは獲物たちがみずから罠にかかりにやって来てくれたかのように話す。それは「まるでどこかの位相で猟師と動物が事前に連絡を取り合っているかのよう」だったと。

それ以後、動物を絵のなかに寓意的に配して満足していた頃のじぶんを見限り、食うか食われるかの〈動物〉の世界にじぶんも〈動物〉としてじかにつながっている、そういう連続のなかにこそ、アートの立ち上がる場所があると思うようになった。「自分は自由とか自己表現とかという根拠のない言葉にうっとりして作品をつくっては絶対ならないと思っていた」彼女は、そのうえでこう書きしるす――

震災以降は、自分から出てくるものさえもすべて怪しいと思えていたし、何ごとに対しても自分に徹底的に責任を負わせないと気がすまないような焦燥感もあった。しまいには外食で食べるものすべてが柔らかすぎると感じて、噛み切れないほどの固いものは何処かにないかと飢えてさえいた。

リアルの岩盤はわたしたちの身体の内にある。このリアルは、システムという装置や媒体を介してではなく、自己の身体と他の生きものや人たちのそれらが生身であいまみえ、交感するなかで、時間をかけて形成されるものだ。そう、複数のいのちがぶつかり、きしみあい、相互に調整しあうなかで、リアルは立ち上がる。それを岩盤に社会のリアルも生成する。それが損なわれた……。

鴻池さんは対話の相手になってくれた東北のある博物館職員の語りとして、次のような言葉を引いている――

もし、これまでの芸術の始まりが「自然界のものを切り離して人間界へ引きずり込む」のであるならば、これからは、その「切り離されたものを縫い合わせ、自然界へ送っていく」、そういう道具の使い方もあるのかなって思うんです。

まるで口ぶりを合わせるかのように、T・インゴルドも前掲書のなかで狩猟と芸術の近さにふれてこう記している――

猟師はしばしば、動物に遭遇しないうちからそれを夢見ている。芸術家、建築家、作曲家、作家も同様に、つねに遠方へと放たれる傾向にある創作力の閃きを捕獲して、それを物質的な作業の直接性へと呼びもどすことに夢中になる。猟師と同様に、彼らもまた夢追い人であるのだ。人間の活動は、いつも夢をつかむことと、物質をわがものにすることのあいだでバランスがはかられる。デザインとつくることの関係性は、希望や夢を引き寄せることと、物質的な束縛への抵抗のあいだの緊張にあるのであり、認識的な志向と機械的な執行のあいだの対立にあるのではない。それはまさに想像力の広がりが、物質の抵抗に出会う場であり、野生の力が、人間の住まう世界の手つかずの周縁と接触する場なのである。

その道具を道具たらしめる道具のなかの道具として、いいかえると、世界との交換／交感のもっともベーシックな媒体として、わたしたちの身体はある。じっさい、世界に探りを入れるにあたっても、人びとはみずからの身体を物差しとして世界を測ってきた。じぶんの大きさ、小ささを知った。左右に大きく拡げた腕の幅、指先から肘までの長さ、拡げた掌の親指と小指の隔たり。これらを単位に、ものの長さを測ってきた。あるいは、歩数で距離を測ってきた。そしてそれらの物差しを未知の対象にも適用することで、世界の認識を想像的に拡張してきた。

おそらくはこのような生身の身体による〈探究〉を、「実験」を、なおざりにした結果として、わたしたちの存在の《萎縮》はある。いま、少なからぬ美術家たちが、あの大震災のあと人びとがゼロからもういちど暮らしを立てなおすときに、芸術がそれなしに生き存えることができないものとして同時に立ち上がるのでなければ、芸術にいったい何の意味があるか、と問いつづけているとすれば、「つかふ」をめぐるわたしのこの論攷(ろんこう)もそれに連なる仕事としてあったといえる。

あとがき

本書は、小学館のPR誌「本の窓」に二〇一五年五月号から二〇一七年十二月号まで、計二十七回にわたり連載させていただいた原稿が元になっている。三年前にいったん執筆を了えていたのだが、ずっと手探りで書いてきたので、書き了えた時点で再構成の必要を感じていたもののそれもぐずぐず引き延ばしているうち、新型の感染症が流行りだした。家にいることが多くなったので、覚悟を決めて最後の詰めにとりかかった。

ようやくしてその作業を了えたのは、夏の入り口にさしかかった頃だ。家で時間ができると、つい身のまわりの物に眼がゆく。〈つかふ〉をめぐる原稿をまとめたばかりだったので、そのあと後日談のような感じで、ふだん使っている物について小さなエッセーを書いた。その後半部分を再掲させていただく。

外出を控えるようになって、他の人とまぢかで語らう場面や回路が急減したのはたしかだが、そもそも物と語らう場面や回路はそれより前からうんと狭まっていたのかもしれない。

人との会話では、身体は別のもう一つの身体と丁々発止、調子を合わせたり、わざとそれを外したり、両者一体になって呼吸しているみたいだが、そもそも物との関係もそういうものではなかったか。土を耕すにも、魚を捌くにも、物を作るにも、文字を書くにも、道具が要る。鋤(すき)や鍬(くわ)、包丁や鑿(のみ)、萬年筆などなど。これらの道具を使いこなすには年季が要る。そう、道具との、さらにその素材との、対話の積み重ね。なのにわたしたちは、そういう試行錯誤の過程を省いて、すでに十全な機能を備えた製品を購入する。そして使いでがわるくなると、修繕しようとなどはせず、別の製品を買い求める……。

わたしの場合、買い替えなど考えず、相手の言い分にさらにじっくり耳を傾けようとするのは、フライパンと作業椅子と筆記具と自動車のエンジン、そしてこれは物ではないが、連れだって散歩する犬くらいのものだ。ひどく偏っている。範囲も限られている。

関係をたえずつくろい、整える。そのなかではじめてわたしたちの身体も、のびやかに、ふくよかに、世界との交わりを濃くする。気がつけば異様に狭まっていたのはその接面ではなかったかとおもう。

地域での暮らしについてもきっとおなじことがいえる。たがいに思いをはせ、必要なら手を差し伸べ、言い分を聞きあい、傷口があればそれを塞ぎ、そうして折りあいをつけながら少しずつかたちを整えてゆく。埋もれているささやかな資源があればそれを磨き、落とし穴がありそうなら先んじてそれを埋めておく……。そういう日々のつくろいの積み重ねが、地域での暮らしの礎であるはずだ。

しばらく蟄居するなか、フライパンに、椅子に、筆記具に、「ほかの物とももっと丁寧につきあいなさい」と言われたような気分になった。

「日々のつくろい」(「中日新聞」7月18日)

使用は操作ではない。高度なテクノロジーを内蔵した製品を使うばあいは、操作という面がある。けれどもその使用は操作にとどまらない。それは若い人たちがスマートフォンを操作している姿を見ればわかる。指によるすばやい操作。わたしなどからすればまるで手品のようにしか見えないが、その人の指は確実に熟(な)れている。指にわざが住み込んでいる。

古代ギリシャ哲学の碩学、田中美知太郎はかつて「技術」と題した論攷（『善と必然との間に』所収）のなかにこう記した。――「物指や秤で計ることは誰でもできるけれども、目分量や手加減でちょうどの量を当てることは、そう誰にでもできることではない」。この「できる」はしかし、意味深長である。何かを計器で計ることも、体で計るという、より基礎的な能力に裏づけられていなければ、世界に深く分け入ることができないという意味もうかがえるが、もう一方で、「できる」ことは、それによってできなくなること、さらには、できるがしないこと、できるがすべきではないことといったより大きな地平のなかで「できる」にすぎないからである。そういう地平へと〈つかふ〉を置き戻すこと。そして使用が操作や利用といった単方向のものではなく、いわば世界を聴くという双方向のプロセスでもある――だから当然のこととして操作するものに操作されているという反転も容易に起こりうる――という事態を掘り起こすこと。これをわたしは本書で試みた。そしていま、わたしはここで論じた諸問題を引き取るかたちで、〈所有〉の問題と取り組んでいる。

三年をおいてようやく一書としての刊行にまでこぎ着けられたのは、ひとえに小学館編集部の清水芳郎さんのおかげである。連載時から最終稿まで、すべての過程をサポートしていただいた。ともに愛好しているヴォルフガング・ティルマンスの写真のなかから原稿に添える写真を選ぶ作業は、毎号、難航したあとのご褒美のように楽しい作業だった。快く掲載の許可をくださったそのティルマンス氏、そして原稿や引用文献の緻密なチェックで刊行を支えてくださった玄冬書林、児島創さんにも深く感謝申し上げたい。

二〇二〇年秋　上賀茂にて

鷲田清一

鷲田清一　わしだ　きよかず

一九四九年、京都生まれ。

京都大学大学院文学研究科（哲学）博士課程修了。大阪大学教授、同総長、京都市立芸術大学理事長・学長等を経て、現在、せんだいメディアテーク館長、サントリー文化財団副理事長。主な著書に『分散する理性』、『モードの迷宮』（サントリー学芸賞）、『「聴く」ことの力』（桑原武夫学芸賞）、『「ぐずぐず」の理由』（読売文学賞）、『顔の現象学』、『メルロ＝ポンティ　可逆性』、『〈弱さ〉のちから』、『「待つ」ということ』、『哲学の使い方』、『しんがりの思想』など。

校正　玄冬書林
編集協力　大坂直史（ワコウ・ワークス・オブ・アート）
制作　苅谷直子
　　　遠山礼子
宣伝　一坪泰博
販売　根來大策
編集　清水芳郎

つかふ―使用論ノート

二〇二一年　一月十九日　初版第一刷発行

著者　鷲田清一
発行者　橋本記一
発行所　株式会社　小学館
一〇一―八〇〇一
東京都千代田区一ツ橋二―三―一
電話　編集　〇三―三二三〇―五一一八
　　　販売　〇三―五二八一―三五五五
印刷所　凸版印刷株式会社
製本所　牧製本印刷株式会社

Printed in Japan. ISBN978-4-09-388805-9